4 西漢~東漢
西元前206～西元219年
〔注音本〕

全新 吳姐姐講歷史故事

吳涵碧◎著

目錄

【第79篇】

滑稽有趣的東方朔。

我國的文學自古便非常優美，詩經就是一部上乘的文學作品。到了漢朝，有一種半詩半文的混合體——漢賦出現，與後代的唐詩、宋詞並稱。這一回，我們講個很有趣的漢賦大家——東方朔的故事。

東方朔，字曼倩，平原人，小時候就喜歡讀書、愛講笑話。當他二十二歲的時候，聽說漢武帝在徵求人才，也想去試試看，便到了長安。

長安城裡有個機關叫公車，由衛尉管理，凡是四方徵求的名士，都可以乘坐公家車子來往，用不著自己出車錢，讀書人如果要上報告給皇帝，也由公車轉送。東方朔就寫了個報告，請公車令轉呈漢武帝。

這個報告寫得相當自負，他說：『我從小沒有父母，由兄嫂撫養長大，十二歲學書，十五歲學劍，十六歲學詩書，背了二十二萬言；十九歲學孫子兵法，也背了二十二萬言。我今年二十二歲，眼睛像明珠般閃亮，牙齒像貝殼般漂亮，勇敢如孟賁，敏捷如慶忌，廉潔如鮑叔，守信如尾生，我這麼優秀的人才，可以爲天子大臣也。』

倘若遇到老成持重的皇帝，看到這種報告，一定會說：『胡鬧！』然後把它扔掉。但是，漢武帝是個雄才大略的君主，很欣賞東方朔的才氣，教他在公車等候命令。

東方朔知道皇帝有意重用他，很高興的在公車等消息。誰知道等了很久，沒有下文，從公車領的米錢，只夠一宿三餐，眼巴巴看著帶來的錢快用光了，心裡很著急。

有一天他出外遊玩，看見一羣武帝養的侏儒（發育不全的小矮人），東方朔嚇唬道：『你們死在眼前，還在玩？』

侏儒們大驚，問：『爲什麼？』

『我聽說朝廷找你們去，名義上是要你們伺候天子，其實是找個機會要把你們殺掉。你們不能做官，不能做農夫，不能當兵，白白浪費國家的糧食，留著幹嘛？不如殺掉，節省糧食。』東方朔說著，還比劃了一個砍頭的手勢。

侏儒們嚇得嚎啕大哭，東方朔說：『等會兒皇上出來，你們趕快磕頭賠罪，若是皇上問起來，儘管往我身上推。』

一會兒，武帝來了，一羣侏儒抱著皇帝的脚又哭又喊，把武帝搞得莫名其妙，因爲他根本沒有殺小矮人的意思啊！立刻派人傳見東方朔。

東方朔耍了一計能見到皇上，自然很開心，他不慌不忙的說：『我活著要講，死了也要講。矮人們不過三尺高，一進京便向公車令領一袋米，兩百四十錢。我呢？堂堂九尺高，也領一袋米，兩百四十錢，侏儒飽得要脹死，我是活活要餓死，你要是不用我，放我回家鄉吧！』

武帝一看，東方朔果然有三個矮子高，覺得很好笑，派他一個官做。

由於東方朔聰明絕頂，講話幽默，善於猜謎語，文章更是寫得呱呱叫，武帝對他很有好感。

在夏天時，照規矩朝廷要分肉給大臣們，負責分肉的是大官丞，大官丞擺臭架子，害得大家在太陽下等到了黃昏還不見人影。東方朔不耐煩，拔出佩劍，割了一塊肉說：『天氣這麼熱，該早點回家去。況且再不拿走，肉都要發臭了。』

其他的人沒有這麼大膽，依舊不敢動手。一直等到晚上，大官丞來了才分肉。大官丞發現肉少了一塊，問明是東方朔割的，認爲這是東方朔存心不把他看在眼裡，立刻到武帝面前告了東方朔一狀。

漢武帝對東方朔說：『你自己責備自己吧！』

東方朔站起來，敲自己的腦袋說：『東方朔啊，東方朔，你不等皇上下命令便私自把肉拿走，爲何如此無禮？你拔劍割肉，實在豪壯！割肉不多，何其廉潔！拿回去給老婆，眞有情義！你敢說你有罪嗎？』

武帝一面聽，一面笑：『我叫你責備自己，怎麼全在誇自己？』便賜東方朔酒一石、肉百斤。由於他才思敏捷機智，文章也寫得快、寫得好，而且滑稽突梯，很能代表他的個性。他在中國文學史上有一席之地。

閱讀心得

【第80篇】

司馬相如與卓文君。

司馬相如與卓文君，是我國歷史上有名的一對情人。

司馬相如字長卿，蜀郡成都人，從小喜歡讀書，也學過劍術，他因為景仰戰國時代的藺相如，所以改名為相如。

蜀郡太守文翁為了普及教育，把地方上天資聰敏的孩童送到長安去念書，司馬相如便這樣到了長安。以後長大做了武騎常侍，由於他興趣不在武職，不久託病辭職。

司馬相如很有才氣，他寫的『子虛賦』全國轟動，人人爭讀。雖然他名氣日漸響亮，他的生活卻大成問題。

有一天，司馬相如想起可以去找老朋友王吉。王吉在臨邛縣當縣令，曾經對司馬相如拍著胸脯說過：『小兄弟，哪一天你混不下去了，來找我！』

司馬相如來到臨邛找到了王吉。王吉想了一著妙計，司馬相如聽了頻頻點頭稱妙。

從此以後，王吉天天到客棧找司馬相如，而相如總是稱病拒不接見。好事之徒紛紛傳言：『一定是來了貴客，否則縣老爺何必這樣費神？』一會兒全縣都在哄傳這件怪事。

白酒
綠竹青
銘月

臨邛縣裡的有錢人很多，而其中最有錢的一個要算是卓王孫了，非常好面子。卓家在戰國時代便以冶鐵致富，是漢初的一個大財主。他也聽說了這件怪事，就透過縣令說，無論如何要請到司馬相如這位遠道稀客。

王吉知道計策有效了，趕著去告訴司馬相如，並且要他穿上貴重的『鷫鸘裘』，換上了簇新的鞋帽，好好的打扮了一番。

一會兒，王吉派了馬車、傭人來爲司馬相如裝闊，司馬相如還左推右推，一直要等卓家三催四請才慢吞吞的出發。

到了卓家門口，早有一大群人伸長脖子等著看熱鬧。見到司馬相如生得脣紅齒白，英俊瀟灑，風度翩翩，人品出衆，大家讚不絕口。

這一頓飯菜餚非常豐富，主人客人都吃得很開懷。當大家都有三分酒意時，王吉對司馬相如說：『你何不彈一曲助興？』

相如謙遜一番後，接過琴來輕輕撥弄，盈盈的琴聲緩緩瀉出，音韻鏗鏘，好聽極了。一曲彈完，全堂喝采。正準備再彈一曲時，忽然聽到有珮玉的響聲，司馬相如回頭一看，喝！屏風後面躲了一位好漂亮的美人。

她是誰？原來是卓王孫的女兒卓文君，年才十七歲，美貌嬌豔，聰明伶俐，琴棋詩畫樣樣精通，不幸新婚未久丈夫便死了，只好回娘家守寡。這一天，聽說家裡來了一個少年貴客，正在偷看時，不巧被司馬相如瞧見，臉一紅急急跑開。

雖然驚鴻一瞥，司馬相如卻一見鍾情，原已有幾分酒意，此時更加醉了。當下便彈了一曲鳳求凰表達自己愛慕之情。卓文君早就仰慕司馬相如的才華，今日一見，果然一表人才，經他的琴聲一挑，芳心動了。

當天晚上，卓文君打了一個小包包，帶著侍女去叩司馬相如的房門，兩個人趁著夜色溜走了。

第二天清早，卓王孫發現女兒失蹤，貴客也一起不見了，大發脾氣。王吉原來的意思是想幫司馬相如作媒，讓他入贅卓家，沒有想到他竟會私奔，心裡也很不高興。

司馬相如和卓文君逃到成都。相如原本很窮，文君走得倉促，沒帶什麼值錢的東西；兩個人只靠典當過日子。到後來連皮袍也當掉了，沒有辦法，只好再回臨邛打聽消息。

旅館的人不認識司馬相如，老實的告訴他們說：『卓王孫幾乎氣死了，有人勸卓王孫接濟女兒一點，卓王孫說：女兒不肖，我不忍心殺死她，讓她餓死好了！』

司馬相如心想：『好，他既然這麼絕情，我已走投無路了，索性與你女兒去開個酒店，丟你的臉。』

一不做二不休，司馬相如眞的穿起店小二的衣服去賣酒了，卓文君也在店裡招呼客人。有的酒客認識他們，幸災樂禍的到處傳笑話，嚇得卓王孫連門都不敢出。

卓家的親戚紛紛怪罪卓王孫：『你何苦讓女兒出醜？況且司馬相如也是個人才，只是時運不濟。』

卓王孫丟不起這個臉，撥給卓文君一百萬錢，一百個僕人，司馬相如便回到成都，買田地，蓋房子，當起富翁來了。

有一天，漢武帝看到子虛賦，非常非常的欣賞，嘆口氣說：『唉，我眞恨不能與寫這篇賦的人同時。』等到聽說是司馬相如寫的，立刻召他入京，派他做郎官。

以後，司馬相如又被派往西南夷，立了不少功勞，卓王孫也覺得很有面子，直誇卓文君有眼光，挑了一個好夫婿。

閱讀心得

【第81篇】朱買臣的故事。

中國自古至今，任何人只要肯上進、肯努力，一定會有所成就，朱買臣便是一個好例子。

朱買臣是漢朝初年會稽人，很喜歡念書，對其他事情都沒有什麼興趣。他家裡十分窮苦，每天到山上砍些木柴，挑到市場上去賣，勉強過日子。

他很會利用時間用功，挑柴的時候，口裡仍不斷背誦詩文，咿咿唔唔念個不停。他的妻子跟在後面，一句也聽不懂，而且越聽越心煩，忍不住阻止道：『你不要再念了，好不好？』

而朱買臣越念越起勁，越讀越響，像唱歌一般，快樂得不得了，一提起嗓子，便嗯嗯啊啊的沒有個完，大老遠都能聽到他在背誦古書。

他的妻子說了又說，始終沒有效果，家裡頭經常有了早餐，就沒有了晚餐，到後來實在受不了，吵著要離婚。

朱買臣知道他的妻子是個無知的女人，永遠不可能了解讀書報國的道理，便陪著笑臉安慰道：『我到五十歲時一定有出息，現在我已經四十多歲，不久便可發迹了，你已經跟我吃了二十多年的苦了，只剩下短短的幾年竟會忍耐不下去嗎？等我大富大貴的時候，一定不忘記你的功勞。』

他話還沒有說完，他的妻子劈頭罵道：『我跟你吃的苦還不夠多嗎？

你原是個書生，弄到現在靠砍柴爲生，也該知道讀書無用，爲何至今仍不覺悟？還要到處吟唱，惹人心煩。再下去，我非要餓死在陰溝裡了！』接著又大哭大叫，鬧得不成個樣子，朱買臣只好答應離婚。

朱買臣依舊砍他的柴，背他的書。有一回，剛好碰到清明時節的天氣，成天陰陰溼溼不見陽光，他背了一捆柴趕下山，忽然遇著一陣風雨，又凍又餓，全身發抖，躲到墓旁去避雨，剛好來了一男一女祭掃墳墓，那個女子不是別人，正是朱買臣的前妻與她的後夫。

這種場面多叫人難堪。因此，朱買臣裝成不認識的樣子。但是，當他的妻子把祭祀過的酒菜，分給他一點兒的時候，爲了要保命，朱買臣也只有含著眼淚吞下去了。

轉眼之間，又過了幾年，朱買臣快五十歲了。有一次，會稽郡有一位太守要到長安去，朱買臣便以運卒的名義跟了去。

到了長安以後，朱買臣抓住一個機會，見到了漢武帝。漢武帝很賞識他在春秋、楚辭方面的見解，派他做中大夫。以後，他又上了一個對付東越的報告，漢武帝十分高興，派他回會稽當太守，並且笑著說：『富貴不回故鄉，就如同穿了漂亮的衣服在黑夜裡走，太可惜了，你如今可以衣錦榮歸。』

當年被人瞧不起的樵夫，如今可神氣了！鄉民們夾道歡迎，爭看新太守的風采。他遠遠看到人叢中有一個女子，正是他的前妻，想起在墳墓前的一幕恩情，便把她叫來。

他的前妻又羞又惱又怒又悔，呆若木雞的說不出一句話。朱買臣顧念前情，把她和她正在郡太守府當工役的丈夫一塊接來，在後花園居住。這時候，他的前妻眞是懊悔到了極點，尤其朱買臣娶了新妻子，穿的是漂亮的新衣服，吃的是山珍海味，她覺得都該是自己的享受。實在忍不下這口氣，厚著臉皮要求朱買臣再收留她。朱買臣叫人把一盆水潑到地上，對她說：『你能把水再收回盆子裡，我們便可以再做夫妻。』

他的前妻聽了之後，『哇！』的一聲哭著跑了，不久上吊自盡了。

閱讀心得

【第82篇】李廣一箭射進了石頭。

李廣是漢朝初年的大將軍，後代的文學家常以他爲題材寫文章，因爲他的一生多采多姿，眞可算是英雄豪傑的代表人物。

李廣是隴西人，武功高強，長於騎射，擔任武騎常侍，常跟著漢文帝出外打獵。漢文帝很欣賞他矯健的身手，不止一次的稱讚道：『你可惜生在太平盛世，沒有立功的機會，否則，起碼也是個萬户侯。』

漢景帝的時代，李廣在周亞夫旗下出力，平定了吳楚七國之亂。又曾經擔任隴西、雁門、代郡等太守。這些地方都是邊區，靠近匈奴，匈奴很懼怕他。

景帝六年，匈奴入侵，景帝派了使者到前線視察，使者在巡邏的時候，遇到三個匈奴人，這三個匈奴人非常厲害，一箭射中使者，把使者帶來的騎兵打得七零八落。

李廣接到消息，告訴左右說：『這三個匈奴人一定是出來射鵰的，所以箭法極佳。』說著，一躍上馬。一會兒工夫以後，這三個匈奴人都敗在他的手下。正準備回營的時候，忽然間，李廣發現四周山頭聚滿了匈奴兵，少說也有好幾千人。

匈奴以爲他們是漢朝派來誘敵的騎兵，不敢輕舉妄動，拉住馬兒的繮

繩，遠遠在山上佈好陣勢，密切注視著李廣。李廣的手下們嚇得臉色死白，發抖的說：『趕快溜吧！』

『走？那麼這兒便是你葬身之地。』李廣很沉著的交代：『去，解下鞍來，放輕鬆點兒。』如此一來，匈奴更認定其中有詐，便按兵不敢動。

呆呆耗在這裡也不是個辦法啊。不久，李廣看到一個騎著白馬的匈奴首領出來檢閱軍隊，他立刻跳上馬，飛也似的衝出去，一箭直穿匈奴首領的胸膛。然後，回到原地，又解下馬鞍，開始休息。匈奴兵對他百步穿楊的本事吃驚不已，更不明白他到底在耍什麼花招，一動也不敢動，猜想一定有大批漢兵埋伏在附近，到了半夜來發動猛烈攻擊，還是早走爲妙。於是匈奴撤軍了，李廣也瀟瀟灑灑返回漢營地。

漢武帝元光六年，匈奴再次入侵，皇帝命李廣出駐朔方。這時候他已五十多歲了，是將領中資格最老的一個，這一帶地方他又是熟門熟路，總以爲沒有問題，保險旗開得勝。

哪裡曉得匈奴早領教過他的厲害，這一回派了大隊人馬沿途埋伏。李廣就是有天大的本領，也逃不過天羅地網，終於被逮著了。匈奴得到李廣，開心得不得了，把他縛在馬上，哼著凱歌押回去獻功。

李廣偷眼一瞧，發現身旁的小胡兒騎的是匹好馬。便用力一掙脚，扯斷繩索，一跳就跳到小胡兒的馬背上，把小胡兒推下馬，奪得弓箭，一揮馬鞭溜之夭夭。匈奴兵掉轉馬頭追上來，卻都被李廣一一射死，他又一次死裡逃生。

以後，匈奴給李廣取了一個外號，叫『飛將軍』，一聽到『飛將軍』莫不聞風喪膽，何況他不久又幹了一件大事。

話說右北平一帶多老虎，李廣日日巡邏，一面瞭敵，一面打虎，憑著他獨到的箭術，一連射死了好幾隻老虎。有一回，走到山麓，遠遠望見草叢之間，有一隻老虎蹲在那兒，他急忙張弓搭箭，憑著他的功夫，果然又一箭命中。

可是，當他走進草叢一看，咦，並不是老虎，而是一塊大石頭。最叫人奇怪的是，那箭透入石中，約有數寸，上面露出箭羽，手下人要去拔，卻跌個四脚朝天。李廣再射，卻也射不進去了。

從此，他更大名遠播，人人都說他的箭有入石的神力，血肉之軀還想跟石頭拚嗎？所以他在任五年，匈奴不敢蠢動。

閱讀心得

【第83篇】

張騫出使西域。

漢初，匈奴強大，漢朝無法對抗，只好處處忍辱求和，漢高祖去世以後，匈奴的單于故意寫信向呂后求婚，把她大大羞辱一番。這眞是國家的恥辱！

『君子報仇，三年不晚。』經過了幾十年的隱忍和休養，漢朝的基礎穩固，財力有餘，士馬強盛，漢武帝決心雪清恥辱，消除國家的大患。

據漢武帝所知，在西域有個叫大月氏的國家和匈奴有深仇大恨，匈奴曾把大月氏的國王殺掉，把他的腦袋當作溺盆，作爲勝利的象徵。武帝心生一計：何不聯絡大月氏夾攻匈奴？

但是，大月氏遠在西域，和漢朝從來沒有來往，如何聯絡呢？漢武帝下令徵求出使番邦的人才。

一聽說要遠赴蠻夷之邦和殺人不眨眼的酋長打交道，朝廷的官員個個縮著頭，生怕被選中。

卻在此時，有個不怕死的英雄好漢挺身而出，他便是張騫。漢武帝見張騫儀表堂堂，口才鋒利，講起話來有條有理，很讚賞的說：『嗯，派這樣的外交官出去，正可代表泱泱大國之風。』

在漢武帝元朔三年，張騫帶了一百多人上路了。不幸的是，剛到隴西，

張騫一行人被匈奴逮住了，而且他的漢節（節是代表政府的信物）以及給大月氏的璽書都一併被搜出。匈奴單于譏嘲的說：『大月氏在我們的北方，你們怎麼會笨到想經過匈奴去聯絡他們呢？如果我想穿過中國聯絡南方的越國，你們會答應嗎？眞是笑死人了。』

從此以後，張騫在匈奴一住便住了十幾年，娶了匈奴女子爲妻，還生了一個小孩子，衣食不缺，單于對他也很禮遇。張騫表面不動聲色，似乎頗滿意眼前的生活，內心裡卻從來沒有忘記國家交付的使命。

機會終於來了，有一天早上，張騫趁著匈奴守衛在打瞌睡，騎上快馬便往北方奔去，在沙漠裡走了十幾天，白天熱得發昏，夜晚冷得顫抖，又餓又渴又累，吃盡了千辛萬苦，好不容易到了西域的大宛。

大宛國王早就仰慕漢朝的富庶繁榮，現在聽說漢朝特使遠來，受寵若驚。張騫告訴國王：『你如果幫助我到大月氏，漢朝皇帝一定會重重酬謝你。』大宛國王滿口允諾。

張騫歷經艱難終於到了大月氏。這時候，大月氏的太子已即位，並且吞併了肥沃的大夏，沒有興趣報仇，而且抱著一種『只要我表明立場不與匈奴爲敵，匈奴應該不會與我開戰』的鴕鳥想法，完全是逃避現實的苟安心理。

張騫沒有辦法，只好束裝回國。回國途中，很倒楣的，又被匈奴逮著，再關了一年多。後來，匈奴發生內亂，他才帶了妻、子逃回長安。

漢武帝聽說張騫回來，十分高興，任命他爲中大夫。張騫雖然沒有完成結交大月氏攻打匈奴的使命，但他帶回許多有關西域的資料。他說，西域有一種水果，甜甜的，酸酸的，芳香撲鼻，好吃得不得了，叫葡萄；有一種草，叫苜蓿，青翠美麗。大宛有一種千里馬，全身紅得發亮，有一丈多長，兩丈多高，跑起來像飛一般快。這些個新奇事，使得漢武帝心動不已，封張騫爲博望侯，開始注重西方邊疆的開發。

到了元鼎二年，張騫再度西使，率領隨從三百餘人，分赴大宛、烏孫、康居、大月氏、大夏、安息等國，爲中國打開了西域的外交、經濟、文化的關係。由於張騫的努力，西域的東西如：石榴、胡瓜、胡豆、胡琴等陸續傳入中國，中國文化因而更爲光輝燦爛。

閱讀心得

【第84篇】

主僕變成夫婦—衛青不平凡的經歷。

西漢時攻打匈奴立下大功，而名垂千古的兩個大將軍是衛青和霍去病，衛青正是霍去病的舅舅哩！衛青其實應該叫鄭青，這句話怎麼說？

衛青的母親衛媼，本來是給漢武帝的姊姊——平陽公主當婢女。後來嫁給了衛氏，生下一男三女，衛氏短命，很早就去世了，衛媼只好再到平陽府裡當傭人，她的小女兒衛子夫長得很漂亮，歌聲更是如出谷黃鶯，在平陽公主家中當歌女。

有一次，漢武帝突然遊興大發，痛痛快快出去玩了一天，回宮的時候，路過平陽府，順道進去休息休息。

平陽公主看見貴客降臨，慌慌忙忙搬出家中最上等的酒菜，並且招來一班歌女陪酒。漢武帝一看便看上了嫵媚動人的衛子夫，尤其對她那把黑油油、光滑滑的秀髮、梳攏成一個髻著迷不已，直盯著不放。

弟弟的心事，姊姊當然知道，平陽公主當場就把衛子夫送給了漢武帝。漢武帝笑得開心極了。

漢武帝本來有個很得寵的皇后陳阿嬌，他曾對人說過：『我要是能娶阿嬌爲妻，要爲她蓋一個金屋。』『金屋藏嬌』的成語，就是這麼來的。現在有了衛子夫，陳阿嬌便失寵了。後來阿嬌被廢後，生病死了，衛子夫當

上了皇后。

衛子夫就是衛青同母異父的姊姊。她母親衛媼和平陽府中一名工人鄭季要好，生下了一個小男孩，取名鄭青，帶回鄭季老家撫養。

鄭季的妻兒非常憤怒，合力對付鄭青，可憐的鄭青小小年紀飽受虐待，身上經常青一塊，紫一塊的，遍體鱗傷。

受老天爺保佑，鄭青居然還能長大成人，沒有被鄭家欺負死，眞是幸運。他實在沒有辦法再忍下去了，跑去找生母，請她想個辦法。

衛媼領著鄭青去求平陽公主，平陽公主回頭一看，發現這個彪形大漢倒是相貌堂堂，就派他去當騎奴。每當公主出門，他就騎馬跟在後頭。

如此，雖然還是傭人，可比在鄭家強多了。所以鄭青改名爲衛青，表明與鄭家一刀兩斷。

衛青很知上進，平陽公主家中的事非常輕鬆，空下來的時間他勤讀書，練身體，一心一意研究兵法。

他當了兩年的騎奴，認識了幾個朋友，介紹他到建章宮做事。

武帝建元三年，張騫出使西域，夾攻匈奴的計畫失敗後，雙方正式破裂，此後四十年間，漢軍採取主動攻擊，九次出塞，都予匈奴以重大的打擊，漢朝的主帥正是衛青。自從李廣失敗，衛青反而勝利後，他一路扶搖直上，河南的收復，河西的經略，漠北的遠征，都有輝煌的戰果，達成了雪恥的願望，鞏固了北部的國防，擴大了中國的領域。

衛青過去的女主人平陽公主，因爲丈夫死了，想再嫁人，問手下：『列侯之中誰最賢？』下人們齊聲道：『當然是衛大將軍了。』平陽公主說：『這怎麼可以呢？他以前是我的騎奴，是伺候我騎馬的傭人。』手下又回答道：『如今比不得從前了，他已身爲大將，他的姊姊又是皇后娘娘，除了皇帝以外，誰能比他更尊貴？』

平陽公主想想也有道理，就央求衛子夫作媒，和衛青歡歡喜喜結成了夫妻。

衛青出身卑賤，但他並沒有因此而自暴自棄，勇敢的創出了錦繡前程，英雄不怕出身低，衛青是個好例子。

閱讀心得

【第85篇】青年才俊霍去病。

衛青原是平陽公主的騎奴，後來成了她的夫婿，而衛青的同母三姊衛子夫嫁了漢武帝，成爲衛皇后。

霍去病的父親霍仲孺，是平陽公主家中的小職員，和衛青的同母二姊衛少兒感情很好，生下了霍去病。

因此霍去病的舅舅是衛青，他的三姨媽是皇后，姨父便是漢武帝。這個關係似乎很複雜，靜下來想一想便明白了。總而言之，由於有了這個親密關係，霍去病十八歲的時候，開始擔任侍中的官，做了漢武帝的侍衛。霍去病固然因爲得天獨厚，年紀輕輕登上了高位，但他的本事也的確不含糊。在元朔六年，衛青出兵攻打匈奴時，霍去病要求跟著去。衛青讓他擔任校尉，選了八百名壯士。到了塞外，霍去病率領部下往北攻去，一路上看不到一個胡人，他繼續向北深入，絲毫都不害怕。

一直走了好幾百里，霍去病看到匈奴的營帳了，一揮手殺了過去。匈奴怎麼想也想不到漢人會跑這麼遠，由於沒有一點兒防備，兩個大頭目被抓。霍去病得到了『冠軍侯』的美譽。

從此以後，他不再跟著舅舅衛青的身後，開始獨當一面了。

元狩二年，霍去病一十九歲，他以驃騎將軍的名義，率領了一萬騎兵，

從隴西出發，獲得大捷，把從金城（蘭州）到鹽澤（羅布泊）一帶四萬多匈奴完全肅清。漢武帝在這兒設了武威、張掖、酒泉、敦煌四個郡，隔斷了匈奴與羌人的聯絡，打通西域的道路，解除了來自西北的威脅。

經過了這一場戰役，匈奴都領教了霍去病的厲害，不敢與他交手。在祁連山與焉支山一役後，匈奴編了一首歌謠：

『亡我祁連山，使我六畜不蕃息；
失我胭脂山，使我婦女無顏色。』

焉支山又名胭脂山，所以匈奴這麼說。這首歌翻山越嶺傳到內地，霍去病的名聲更響亮了。

霍去病爲人沉默寡言，成熟穩重，有勇氣，敢擔當。漢武帝曾經叫他去研讀孫吳兵法，他回答：『做大將軍的要隨時用計謀，何必受古法的約束？』武帝要為他蓋個漂亮的大房子，他笑著推辭道：『匈奴不滅，無以家為也。』這句話的意思是說，匈奴還沒有消滅，成什麼家。直到今天，我們還時常沿用霍去病的話，表示一個好男兒在國家未太平之前，沒有工夫考慮到自身的事。

霍去病小時候不曉得父親的名字。因為霍仲孺早已離開平陽公主家，回到家鄉河東，另外娶妻生了一個兒子名叫霍光，與平陽公主不再聯絡。等到霍去病長大成人，當了官，才知道父親的名字。他在北伐回京的路上，經過河東，查出霍仲孺還健在，派人去迎接，父子團圓。

霍光的年紀雖小，但聰明伶俐，霍去病很歡喜，待他像親弟弟一般，把他帶到長安，找老師仔細教導。以後，霍光輔佐昭帝、宣帝，成爲歷史上有名的一代賢臣。也算得上霍去病在沙場以外的另一貢獻。

閱讀心得

【第86篇】蘇武的故事。

在漢武帝天漢元年的春天，日暖草肥，武帝正想北伐匈奴時，忽然有人報告，路充國從匈奴回來了。

路充國是漢朝的使者，被匈奴扣留了相當一段時間。他告訴漢武帝，現在匈奴新君且鞮侯單于繼位，對漢朝十分恭順，曾經說過：『我是漢朝的兒子，漢天子是我的長輩。』不但把漢朝的俘虜一律放回，而且求和。

原來這以前，匈奴經常扣留漢朝的使者，漢朝也時常把匈奴的使者關起來以爲報復。如今，既然匈奴有心求和，漢武帝也就本著寬大爲懷的精神把匈奴的使者放回去，並且指派蘇武護送。

蘇武帶著大批綾羅綢緞金銀財寶到了匈奴。沒有料到且鞮侯單于並沒有眞心講和，尤其是看到大批金帛以後，認爲漢朝懼怕匈奴，不由得驕傲起來，對待蘇武等人十分不客氣，蘇武也不便斥責且鞮侯單于禮貌不周，反正他的任務已達成，收拾行裝就準備回國了。沒有想到這時候發生一件意外。

當時在匈奴，有兩個漢朝的降臣衞律、虞常相處得很不融洽，虞常想暗殺衞律，同時把單于的母親閼氏搶過來，投奔漢朝。剛好蘇武一行到此，虞常央求蘇武的副使——張勝參與陰謀，張勝瞞著蘇武祕密籌劃起事。

有一天，且鞮侯單于外出打獵，虞常等人以為有機可乘，集合黨羽七十多人發難，偏偏其中一個人竟然偷偷的跑去告密，結果虞常等人被捉下獄。

後來，單于追查這件事，派人下令不准蘇武回國，並且傳他接受審訊。蘇武悲痛的說：『我們奉皇上的命令出使匈奴，如今受到這種恥辱，還有什麼面目回漢朝？』拿起佩劍便往頸子上抹，衛律慌忙搶救，但蘇武的頸上已經刺了一個洞，鮮血流了一身。醫生趕來時，蘇武已昏過去。幸好匈奴的醫生本領不錯，把蘇武一條命撿了回來。單于也很欽佩蘇武的忠勇。

當蘇武痊癒後，單于不肯放他走，反而派衛律勸他投降。

衛律討好的說：『蘇武，你看我，自從背棄漢朝來到匈奴，不但封了王，擁有幾萬部衆，而且漫山遍野盡是我的牲畜，有享不盡的榮華富貴。你今天投降，明天便和我一樣了，多好！』

蘇武緊閉著嘴，咬著牙，默不作聲。衛律又換了一副臉孔，這次惡狠狠的說：『你不聽我的話，明天你想看我都看不到了。』

無論衛律用軟的，來硬的，蘇武都不動心，反而罵道：『你不顧道義，背叛國家，甘心投降夷狄，簡直無恥！我根本不屑見你。你明明曉得我不會投降，卻故意來威脅我，存心在匈奴惹出大禍，你以爲你還活得下去嗎？』

衛律被罵得抬不起頭，把這一番話源源本本的告訴了單于。單于大爲讚賞，更想使蘇武投降。把蘇武關在地窖中，不給他食物，只給他一條毛毯。蘇武餓得發抖，將毛毯混著冰雪吞下肚去，竟然沒死。單于以爲蘇武有神助，就派蘇武去北海牧羊，放的都是公羊，卻對他說：『等你的公羊生了小羊，你便可以回去了。』

北海氣候嚴寒，蘇武凍得皮膚破裂，淌出鮮血，沒有食物只捉點野鼠充飢，被折磨得不像個人樣。然而，他始終不離開那支代表漢朝使者的漢節。

如此過了五、六年，武帝派李陵攻打匈奴，李陵兵敗，被迫投降匈奴，被封爲王。李陵和蘇武原來認識的，他來探望蘇武，對蘇武說：『我來的時候，你母親、大哥、三哥都死了，嫂夫人已改嫁，你妹妹、兒子、女兒下落不明。哎，人生有如朝露，何必如此自苦？你哪一天死掉了，別人也不曉得你的忠心。』

蘇武搖搖頭：『爲國犧牲，我死也甘心。』

以後，漢朝與匈奴講和，漢朝要求把蘇武放回，匈奴騙說蘇武早死。幸虧有個叫常惠的想了一個計謀，對匈奴說：『有一回漢天子打獵時，射到一隻北方飛來的雁，雁脚上綁有蘇武寫的信。』這是一句謊話，匈奴卻信以爲眞，同意釋放蘇武，蘇武才得以返回漢朝。

蘇武去國十九年，回來時已成了白髮蒼蒼、蹣跚跛行的老翁。其實，他做夢也沒有想到可以回國，更沒有想到會名垂青史。他只是本著良知，勇敢的、堅決的在做自己應該做的事——愛自己的國家。

閱讀心得

【第87篇】

可敬的牧羊人——卜式。

在漢武帝時代，河南山區裏，住著一位牧羊人——卜式。卜式原先住在山脚下，家裏有一大片田，還畜養了不少牛羊。後來，卜式的父母親相繼去世，留下了卜式與卜式的弟弟。

卜式是個好哥哥，他爲了幫助弟弟成家立業，把卜家所有的田產完全給了弟弟。自己僅僅帶了一百多頭羊，遷居到山裏。

養羊也是一門大學問，卜式研究方法，給羊群最好的照料，沒過多久，一百多頭羊已經繁殖到千頭以上，附近的牧羊人家，無不欽佩卜式，稱他爲養羊專家。

卜式賣了一部分羊，在山裏蓋了一棟小房子，準備常隱山中，過著單純而寧靜的牧野生活。

不料，卜式的弟弟不成材，與哥哥完全不像，貪吃懶做，游手好閒，沒過幾年，竟然把家財揮霍得乾乾淨淨。聽人家說，卜式這幾年經營得有聲有色，於是，卜式的弟弟趕到山上向哥哥求援。

卜式見弟弟的狼狽模樣，心裏十分生氣，他慍怒道：『當年我上山之前，交給你的家產足夠你吃一輩子的。』

弟弟不吭聲，低著頭，一臉慚愧的表情。卜式心腸軟，也不忍心多說，

不但好好招待了豐盛的一頓，並且大方的把財產分了一部分給弟弟，同時叮嚀道：『這一回你可得用點心。』

『我一定不辜負兄長的教誨。』

弟弟捧著錢，千恩萬謝地下了山。

話是說得漂亮，奈何江山易改本性難移。弟弟拿了白花花的銀子，更加出手濶綽，揮金如土。

沒過多久，弟弟又宣告破產，又厚著臉皮往山上跑。

這日，旁邊的鄰人見到，不以爲然對卜式說：『你的錢賺得不容易，風吹雨打，日曬雨淋，人都變得如黑炭一般。你老弟卻吃香喝辣，只曉得伸手要錢，莫非把你這個哥哥當搖錢樹不成。』

卜式歎一口氣：『沒把弟弟教育成材，我這個哥哥也有責任。我總不能眼睜睜見死不救，畢竟是手足情深。』

於是，卜式又分了一些財產給弟弟。鄉里的人都看不起弟弟的厚顏貪財，也不約而同讚美卜式的大度大量。

卜式雖然身居深山，對國家大事卻十分關心，他一直是憂國憂民的愛國人士。當時，漢武帝派遣衛青、霍去病率領大軍討伐匈奴，卜式心想，打仗要花不少金錢，覆巢之下無完卵，他願意盡一份力量。

因此，卜式上書漢武帝，願意把自己財產的一半捐出來，讓政府拿來抵禦外侮。

漢武帝看了卜式的上書傻了眼。天下竟然還有這樣熱心的人嗎？中國人一向不習慣納稅，尤其是商人，總是想出種種辦法，能逃則逃，那有如卜式一般的？何況，卜式一半的財產，一千多頭羊再加上房屋四座，雖算不上大富，數目也頗可觀。錢總是不嫌多的，莫非卜式有什麼要求，不方便在上書之中講明白？

漢武帝相當好奇，他馬上派了使者，前往卜式家中，一探究竟。

使者到了卜式住處，發現卜式家中十分儉樸，收拾得裏裏外外乾乾淨淨。

使者打開天窗說亮話，他問：『卜式，你捐獻的數目不少，莫不是希望皇上派你一個官職？』

『不！』卜式笑道：『我一個牧羊人，要官職有什麼用？我自小牧羊，也歡喜與羊相處，對畜牧事業，多少也有點心得，我不想當官。』

『噢，這樣的話，你一定是蒙受什麼不白之冤，希望朝廷爲你平反。』使者自以爲聰明地推測。

卜式笑了起來：『我這個人生性淡泊，凡事不與人爭，歡喜賙濟鄉里，與朋友都相處和樂，那有什麼不白之冤。』

使者清一清喉嚨：『這也不是，那也不是，你倒是說說看，你平白無故捐出這許多錢，到底希望什麼報償？』

『什麼報償我都不需要。』卜式正色道：『皇帝討伐匈奴，我認爲全國上下，應當有錢出錢，有力出力，我希望我們大漢朝繁榮興盛，其他，我一無所求。』

『我會把你的意見報告給皇上。』使者告退，對卜式深深一鞠躬：『我欽佩你的無私，希望國家能有更多像你一樣的人。』

卜式捐出了一半的財產，仍然牧他的羊，他似乎是傻，不過，他想到他也盡了一份力量，覺得自己是個有用的人，有能力回饋社會，他忙得更起勁了。

閱讀心得

【第88篇】

司馬遷忍辱發憤寫史記。

中華民族是一個最重視歷史的民族，遠在西周以前，中國人就懂得歷史記載的重要，常由政府特置的史官來專管這項工作。那些史官是專業的，同時也是世襲的。司馬氏一家，便一直擔任史官的職位。而司馬遷更是中國歷史上最偉大的歷史家。

司馬遷的父親——司馬談也是一位淵博的學者，他很重視小孩子的教育，希望司馬遷將來能繼承自己的工作與理想，完成一部比孔子的《春秋》

更偉大的歷史鉅著。因此，當司馬遷十歲的時候，司馬談就請當時的名學者孔安國教他尚書，董仲舒教他春秋。

除了『讀萬卷書』，司馬遷又在父親的鼓勵下『行萬里路』。他在二十歲那年，騎馬乘舟遊歷各地，考察史蹟，訪問遺老，搜集歷史資料。

在江蘇淮陰，他聽當地父老講著韓信從一個無賴的胯下爬過去，惹得衆人恥笑；到沛豐聽說劉邦曾一文不名去赴宴，在酒席上卻嚷著自己出一萬錢，這種濶氣，使得主人呂公當場把劉邦收爲女婿。

往西走到了湖南，在沅湘之間，這裡的土人祭神時仍唱著屈原作的『九歌』，司馬遷特地去看了看屈原投水的汨羅江，他傷感得哭了；同時長沙也是天才少年賈誼不得志做『鵩鳥賦』的地方，司馬遷忍不住又嘆息起來。

再往北走，他到了山東孔子講學的地方，參觀孔廟裡擺列的各種車服禮器，以及儒生們講禮習樂的情形，他盡量的呼吸著文化的遺澤，對他歷史知識的充實，文章氣勢的培養，都有很大的幫助。

司馬遷從遠方遊歷回來，先補爲博士弟子員（優等的成績），第二年因歲試得到高第，做到郎中。

這時，他的父親司馬談病重，臨死之前，司馬談握緊兒子的手，流著淚說：『我希望你能完成一部偉大的史書，揚名後世，那我這做父親的也會感到無比的光榮。』

三十二歲的司馬遷，正一心一意完成不朽的著述——史記時，發生了一件大事，扭轉了他一生的命運。

讀者們還記得射箭穿石的飛將軍李廣嗎？這時他的孫子李陵已長大成人，也長於騎射，謙和仁愛，漢武帝很喜歡他，派李陵出兵攻打匈奴。李陵率五千步兵，深入匈奴一萬多里，殺傷敵人數萬。朝廷的大臣們爭相舉起酒杯，向漢武帝祝賀，個個都說：『李陵勇敢！』『李陵就和他祖父一樣神奇！』

沒有幾天，李陵被部下出賣，中了匈奴的計，兵敗如山倒，最後投降了。滿朝大臣們看到漢武帝鐵青的臉，大家嚷著：『李陵有罪！』『李陵該下地獄！』『滅他的族！』

司馬遷曉得李陵勇敢、善戰、愛部下，只要李陵一句話，士兵們都願流著淚，帶著傷，拿著沒有箭的弓，去和敵人拚命的。因此，雖然他和李陵沒有深交，很少來往；當漢武帝問他的意見時，司馬遷很坦誠的說：『現在許多人講李陵的壞話，只是因為他平日少與人應酬，做人不周到，不會巴結。其實，李陵絕不會輸於古代任何名將，他現在雖然失敗了，但一定是想將來找機會報仇。況且，無論如何，他已殺了那麼多匈奴，對國家很有貢獻。』

沒有想到，漢武帝大發脾氣，認為司馬遷不但在為李陵講情，更在諷刺這次功少的李廣利（李廣利是武帝所愛的李夫人的哥哥）。因此，立刻把太多情、太熱心、太有正義感的司馬遷關到牢裡去了。

照當時的規矩，出錢可以贖罪，但是司馬遷為人正直廉潔，怎麼拿得出五斤黃金呢？又因為骨頭硬，一向不屑逢迎有錢有勢的大官；而和他要好的人，又怕惹麻煩，不敢出面援救。武帝誤信謠言，以爲李陵在幫匈奴練兵（其實是李緒），一怒之下，把李陵的母親、太太、兒子全殺光了。同時，使司馬遷受了腐刑——便是和太監一般。

司馬遷受到這種奇恥大辱，悲憤得想要自殺。這時候，他父親司馬談的遺言在他耳邊響起，他跳起來說：『對啊，死有重於泰山，有輕於鴻毛。自古以來，只有最不凡的人，才能忍辱偷生，發憤著作，永垂不朽。周文王被關在羑里演繹了周易；孔子在陳蔡絕糧寫成春秋；屈原在被放逐而作離騷；左丘明瞎了眼睛而寫成國語；孫子被砍掉兩脚而寫成兵法。』

從此他發憤著作，他以廣博的學識，銳利的眼光，豐富的體驗，雄偉的氣魄，寫下了一百三十卷史記。這是中國歷史上最偉大的史書，也是後代正史的藍本，更是了不起的文學著作。這是祖先留給我們的寶貴遺產。

閱讀心得

【第89篇】

漢武帝與巫蠱案。

西漢初年是中國歷史上光輝燦爛的大時代，文治武功都十分興盛，像司馬遷、司馬相如的文章；衛青、霍去病的功業；蘇武、張騫的外交，都是千古流傳的不朽盛事。而籠罩這一切的，是漢朝的象徵人物——漢武帝。

漢武帝是漢景帝的兒子，十幾歲開始執政，統治中國超過半個世紀。他從小好奇、浪漫、愛冒險。在即位以後三年（二十歲）時，經常穿著平民服裝出外打獵，自稱為平陽侯。有一回住在別人家裡，被人誤以為是小偷，差一點兒被灌了一嘴的尿。

在漢武帝以前，漢朝一直是採用屈辱的『和親政策』，送財物，嫁公主以討好匈奴。他即位以後，積極消除外患，開拓疆土，使大漢聲威遠播各地。同時，採納董仲舒的建議，崇尚儒學，設置五經博士。

打仗要花很多錢，因此，漢武帝十分重視經濟，設立均輸和平準法，避免不法商人操縱市場和做投機買賣。可以說，漢武帝對付漢朝的『經濟犯』很有一套辦法。

雄才大略的漢武帝，在求仙煉丹方面頗受後世的批評：在漢武帝二十五歲的時候，有一個叫李少君的，說自己通長生不老之術，曾經吃過一種棗，棗大如瓜，靈得不得了。

有人問李少君：『您多大了？』

李少君永遠慢吞吞的回答：『七十。』別人也猜不透他到底有多大年紀。有一次，在大庭廣衆之下，李少君和一位九十歲的老頭兒談起老頭兒的祖父的事，大家都驚奇萬分，算算看，李少君起碼有好幾百歲了。

從此以後，漢武帝開始向東海求仙，希望和李少君一般長生不老，永遠享受當皇帝的榮華富貴。

元狩四年，有個文成將軍，自誇能招鬼神，武帝信以爲眞。文成將軍說殺牛可得奇書，書上會有長生不老的方法。武帝把牛宰了，果然看見牛肚子裡有書，書上有字，但漢武帝一眼認出這是文成將軍的字跡，知道受騙，當場把文成將軍殺了。這樣，武帝應該覺悟了吧。可是偏不，他像抽鴉片一般，時時會癮發。由於武帝的迷信，到了他的晚年，爆發了一宗悲慘的巫蠱案（毒害人的東西叫蠱）。

征和元年，有一天，漢武帝在睡午覺，忽然夢見有無數個木頭人，手裡拿著木棒，從四面八方向他打來，漢武帝嚇得從夢中醒來，出了一身冷汗，衣服都溼透了。剛好江充來問安，漢武帝便把這個夢告訴了江充。

江充一聽，馬上臉色一變，很嚴重的說：『糟糕，這是宮中有蠱氣，非常危險，恐怕對皇上不利。』

『噢，有這種事？那你趕快去查，要快、快、快！』武帝嚇得心驚肉跳，氣喘不停。

原來，漢代社會裏，流行一種巫術，那些巫師們教人埋木偶，當作報仇消恨的方法。武帝最怕被人暗算，因此時時擔心有人用邪術詛咒他，鬧得身體非常虛弱。

江充呢？是個大壞蛋，他派人到處埋木偶，然後再派人把木偶掘出，誣賴屋主，強迫屋主認罪。武帝很相信他，官民因而被害的，有數萬人之多。

江充和太子劉據感情很壞，太子據爲人寬厚，看不慣江充的胡作非爲，江充害怕將來太子即位，對他不利，決定利用巫蠱加害太子。

漢武帝既然叫江充負責查巫蠱，江充帶領一批人到處刨木偶，他跑到皇后和太子的宮中去掘地，刨到後來，連放床的位置都沒有了。他告訴漢武帝說，木偶最多的不是別人，就是太子，並且他還拿出刨到的帛書，上面盡是罵武帝的詞句。

太子據嚇壞了，先發制人，領兵把江充殺掉了。江充被殺以後，武帝更一口咬定太子據有心造反，派兵攻打太子據，太子據被殺。以後，武帝查明此事，心裡很是難過，造了一座思子宮，裡面有望思臺，以憑弔太子。

漢武帝是一代名主，尚且免不了被神棍欺瞞，可見迷信的可怕，不可不慎。

閱讀心得

【第90篇】

漢武帝的愛情故事。

中國古代的皇帝後宮都有三千粉黛、七十二妃嬪，這些美人雖然享盡人間的榮華富貴，受到天下人的羨慕，其實過得並不快樂。

大家也許還記得，漢武帝曾娶陳阿嬌爲皇后，這是『金屋藏嬌』成語的由來，以後愛上衛青的姊姊衛子夫。美人禁不起老，因此漢武帝到了晚年，又有幾件有名的風流韻事。

有個戲子李延年，音樂的造詣很高，他的妹妹也喜歡歌舞，生得姿容秀美，而且舉手投足，體態輕盈。漢武帝一見鍾情愛上了她，納為妃子，稱為李夫人。

漢武帝與李夫人過了一段快樂的日子，可惜紅顏薄命，李夫人的身體很壞，染上重病，武帝召遍了名醫診治，還是挽不回她的生命。

到了病危的時候，漢武帝殷勤的再三探病，李夫人卻用枕頭被子擋住，不肯見皇帝的面。推說：『我容貌未修飾，不敢見皇上。』

漢武帝堅持要見李夫人，動手就要揭被子，沒想到李夫人竟然扭轉身，硬是不肯見皇帝，漢武帝氣得一甩袖子便走了。

武帝走後，李夫人的姊妹們紛紛責怪她太固執，惹得漢武帝不高興。李夫人抽搐的哭道：『皇帝愛我，是因為我長得漂亮；我現在快死

了，既醜又難看，皇帝見了必然嫌惡，還不如讓他留下一個完美的印象，也會對你們好一些。』

眾人一聽，方才了解李夫人用心之苦。不久李夫人死了，漢武帝哀痛不已，時時在夢中恍恍惚惚見她在跳舞。

漢武帝傷心過一陣子以後，馬上又找到尹夫人、邢夫人兩位美女。古代後宮一向爭寵爭得很厲害，常常因此發生慘案，彼此明爭暗鬥，互不相讓。漢武帝爲免得麻煩，不叫她們相見。

然而，尹夫人很是好奇，不斷吵著要見邢夫人。漢武帝拗不過她，找了一位宮女假扮成邢夫人。

尹夫人一見便搖搖頭：『這是假的。』因爲武帝的標準很高，普普通通的宮女根本看不上眼。

武帝只好把眞的邢夫人找來，邢夫人的衣著很普通，但是氣質脫俗，惹人憐愛。尹夫人一見之下，先是目瞪口呆，然後，頭一低，兩行淚水緩緩流下。原來她自知比不過，心酸加上嘔氣，只有眼淚汪汪了。

邢夫人笑笑，勝利的走了。尹夫人哭得是肝腸寸斷，從此兩人避不相見。所謂『尹邢避面』的成語，便出自此處。

後來，有一回漢武帝北巡通河，聽說一件怪事：

有個趙家少女，生得美豔絕倫，叫人不敢正視，卻生了一種怪病，兩隻手始終緊緊握著拳頭，怎麼也打不開。

漢武帝覺得很有趣，派人去幫她張開，費了很大力氣，依舊徒勞無功。

於是親自召見，奇怪的是，一碰漢武帝的手，拳頭自然伸開來，裡頭握著一支玉鉤。漢武帝大爲驚奇，就把她帶入皇宮，爲她建了一個鉤弋宮，封爲鉤弋夫人，也叫拳夫人。不多時，生下一子取名弗陵。

自從太子劉據被害死以後，武帝一直在積極找尋適當的繼任太子人選，弗陵聰明伶俐，武帝十分疼愛這個小兒子，有意立爲太子。

有一天，漢武帝與鉤弋夫人正在有說有笑，武帝忽然臉色一沉，大發雷霆，鉤弋夫人莫名其妙，不知哪兒得罪了皇帝，慌慌忙忙摘下髮簪謝罪，沒有想到漢武帝竟然說：『去！去！你休想活了！』當天晚上就下詔賜死。

一代紅顏便這樣去了！武帝問手下：『外邊的人對此有什麼看法？』

左右道：『大家都說，陛下要立鉤弋夫人的兒子爲太子，何苦先殺掉她？』

武帝回答：『主少母壯，是禍亂的開始，你沒聽過呂后的故事嗎？』

原來漢武帝惟恐自己去世後，鉤弋夫人引進娘家勢力，大權旁落外戚之手，才出此下策。

上面的故事雖有些殘酷，然而武帝不過貪圖後宮佳麗的美色，彼此之間並沒有眞正的感情，所以也不足爲奇。這眞是『以色事人』的悲哀。

閱讀心得

【第91篇】

五歲大的皇后。

在上一篇『漢武帝的愛情故事』中，說到武帝生怕鉤弋夫人太年輕，當了太后會專權，先賜死她，再立弗陵爲太子。

不久，漢武帝便去世了。太子弗陵即位，是爲漢昭帝。武帝臨死之前，他把八歲大的昭帝託給霍光，所有的政事由霍光代理。

霍光是大將軍霍去病的弟弟，很有才幹而且忠心耿耿。由於漢昭帝年紀太小，飲食起居要人照料，霍光請了昭帝的姊姊——蓋長公主入宮幫忙，順便處理後宮中瑣碎的雜事。

蓋長公主年紀輕輕就當了寡婦，她有一個情人丁外人時常入宮，這件事霍光也曉得，但又不便干涉，只希望她一心一意照顧昭帝。

昭帝始元四年，昭帝十二歲時，霍光的女兒嫁給上官桀的兒子上官安，生了一個女兒，模樣挺逗人喜愛的，剛剛滿五歲。上官安突發奇想，希望把女兒納入後宮，成爲漢昭帝的皇后。

上官安很得意自己的奇妙安排，但是霍光卻澆了一盆冷水：『不可以，不可以！她才五歲，怎麼可以進宮？眞是開玩笑。』

上官安依舊不死心，他認爲反正皇帝也是個小皇帝，配一個小皇后有何不可？而且如果事情成功，自己便成爲皇帝的岳父，那該有多麼神氣？

於是，上官安便跑去央求丁外人，丁外人也樂得賣個順水人情。不多時，由蓋長公主出面，宣召上官安的女兒入宮為婕妤，緊接著，立為皇后。五歲的小女孩，什麼也不懂，竟然成為皇后娘娘，這也是天下少見的怪事。霍光雖然覺得不安，但外孫女兒當了皇后，也滿有光彩的，便也不再反對。

上官安對丁外人的大力助成，心裡非常的感激，總想找個機會好好的謝一謝他，於是積極活動，好讓丁外人封個侯什麼的。

然而，任憑上官安在霍光面前把丁外人捧到天上，說得天花亂墜，霍光始終打定主意，不肯就是不肯。

上官安回家請父親上官桀以親家的身分說情。上官桀對霍光說：『這樣吧，封侯你不願意，就封個光祿大夫如何？做人也不要做得太絕了，是不是呢？』

霍光一聽這話，拍著桌子大罵道：『丁外人無功無德，憑哪一點可以封官爵？這件事，以後不必再談了。』

上官桀碰了一鼻子灰，氣得跳腳。他自從上官安的女兒當上皇后，神氣活現，有時入宮喝酒歸來便大吹法螺：『今天和我孫女婿喝酒，非常快樂，我孫女婿的服飾可漂亮哩，可惜我家裡的器物太寒酸了。』說著動手就要燒房子。像這樣一個得意忘形的人當然不能體會霍光公正無私的胸懷。

於是，以上官桀爲首，糾合蓋長公主、丁外人及一批不滿霍光鐵腕作風的人，醞釀一次陰謀，以燕王的名義彈劾霍光。

但是，昭帝看到報告只是笑笑，沒有表示。

霍光有些害怕，跪在地上等候發落。

昭帝說：『你放心吧，朕知你無罪。』

『陛下怎麼知道？』

『報告是趁你去廣明校閱時送上來的，你一來一去不過十天，燕王怎麼算得這麼準？可見得有人搞鬼。我雖然只有十四歲，還不至於這麼愚笨。』

霍光一聽此話，兩行熱淚滾滾而下，一片忠心總算皇帝知道。從此，更是一心為國，造成了太平盛世。

後來，上官桀一不做二不休，竟然企圖先幹掉霍光，再廢去昭帝，然而事跡敗露，沒有成功。

由此可見，一個正直的人要面面俱到，是絕不可能的，霍光固守原則，不肯袒護丁外人，甚至得罪親人亦在所不惜。這種識大體、不苟且的精神，值得我們效法。

閱讀心得

【第92篇】荒唐的劉賀。

漢昭帝在元平元年，忽然得了一種怪病，不多久便去世了。死時只有二十三歲而已。才十五歲的上官皇后沒有生孩子，大漢江山的帝位該由誰來繼承呢？

霍光和大臣們商議的結果，決定由昌邑王劉賀繼立。劉賀是漢武帝的孫子，算起來是昭帝的姪兒，便作爲昭帝的過繼兒子。

劉賀五歲便繼承了他父親昌邑王的爵位，平日最喜歡打獵，玩女人，中尉王吉、郎中令龔遂經常勸他，他一聽，總是用雙手掩著耳朵逃到房間裡去，照舊我行我素。

當朝廷的使者前來之時，已是三更半夜，因爲事關重要，直接進入王宮，宮中的侍臣把劉賀叫醒，劉賀起來接過上官皇后的命令，才看了幾行，馬上手舞足蹈的大叫：『哇！我要當皇帝了，我要當皇帝了！』高興得快要發瘋了。

他這麼一喊，把宮裡的廚子、看門的全部吵醒了，大家紛紛跪在地上磕頭、道喜、喊萬歲，並且要求劉賀帶他們入皇宮。劉賀正在興頭上，一概答應：『好，好，沒有問題。』便忙著上路了。

劉賀自己騎了一匹馬走在前頭，人逢喜事精神爽，他猛揮馬鞭向前奔

漢

馳，快得像追風逐電一樣，一口氣跑了一百三十多里。

到了定陶，劉賀往背後一看：『怎麼人都不見了？』只好在驛站等候。等了好一會兒，他手下的三百人才氣喘吁吁的趕到，個個都說：『馬不行，馬太糟了，根本跑不動。』

原來，各驛站的馬匹有限，都以爲王爺進都，了不起帶個幾十人，誰曉得劉賀竟然帶了三百人之多，哪兒有這麼多好馬呢？只好以壞馬充數，壞馬不耐長途跋涉，紛紛倒地死去，龔遂看不過去，建議削去一半隨從，劉賀也贊成。然而，那些隨從個個都想攀龍附鳳，都說自己是親信，不肯折回，弄得左右爲難，折騰了半天才挑了五十個人上路。

第一天到了濟南，濟南有兩樣土產大大有名，一種是叫起來聲音拉得長長的長鳴雞，一種是竹子做的拐杖積竹杖。劉賀對此很有興趣，嚷著：『停下來，停下來，多買一些。』其實，他到宮中以後，根本不需要這兩件東西，但是他不管，一買就是一大堆。

過了不久到了弘農，劉賀發現沿途有許多美女，興奮極了，暗地裡派人把漂亮的女子送到驛站裡去。手下爲了討好新皇帝，沿街搜索，凡是略有姿色的都難逃厄運，一把搶拉上車，送往驛站。

龔遂聽說這件荒唐事，連忙去問劉賀，劉賀死也不肯承認，龔遂於是做主把這些嚇壞了的婦女放掉。

一路上吵吵鬧鬧，做盡了荒唐事，終於到了長安門外。根據禮節，奔喪時望見城門便應該痛哭流涕。劉賀想著馬上就要當皇帝了，一顆心高興得發抖，哪兒擠得出眼淚呢？推説：『我喉嚨痛，沒有辦法哭。』勉強乾嚎了兩聲，意思、意思。

霍光接到沿途官員上的報告，知道皇帝是這樣一個花花大少爺，十分憂慮。他和大司農田延年商量這件棘手的事。

田延年説：『你既然知道劉賀不配當皇帝，何不告訴太后，換一位皇帝，總不能讓漢朝敗在他手上。』

霍光有些爲難的説：『古代有沒有這樣做？』

『有啊，以前伊尹當宰相的時候，曾把太甲軟禁在桐宮，後代稱之爲聖人。』

霍光把劉賀的種種劣跡告訴了上官太后，劉賀到手的帝位便這樣飛了。

據史書記載，昌邑王劉賀只當了二十幾天皇帝，但在二十幾天中，竟做了一千一百二十七件錯事，這個紀錄實在驚人，幾乎每分鐘都在做錯事。可惜，史書中並沒有把這些錯事的內容記下來，所以我們不知道昌邑王怎麼做了那麼多錯事。

上官太后本是霍光的外孫女，當然同意外公的主意，於是，用太后的名義，下令廢昌邑王的皇位。

閱讀心得

【第93篇】

在監獄裡長大的皇帝。

漢昭帝去世以後，新任的皇帝劉賀荒唐無知，被霍光做主給廢了。那麼，由誰來繼承皇位呢？

朝廷裡的文武百官爲這件事傷透了腦筋，大家討論來又討論去，始終提不出適當的人選，足以挑起領導全國人民的重擔。

這個時候，光祿大夫丙吉向霍光提出了一個報告。他說，漢武帝的曾孫病已，由宮廷撫養，如今已有十八歲了，從小研讀詩書、論語、孝經，節儉樸素，仁慈愛人，可以立為皇帝。

霍光看了報告以後，詢問大家的意見，太僕卿杜延年說：『對，我也聽說病已人品不錯。』其他人也沒有反對，病已正式繼任為漢朝的皇帝，是為漢宣帝。

病已的童年，有一段曲折離奇的故事：

他是漢武帝太子劉據的孫子，劉據起兵殺江充，武帝派兵殺死劉據，家裡的人受到了牽累都被處死，當時病已剛剛出生不久，還在襁褓之中，雖然免去一死，卻也被關進了監獄。

那個時候，恰好廷尉丙吉，奉命查監，他看到這個尚在襁褓中的小男孩，蜷縮在牢中一角，哭個不停，眼睛裡湧滿了淚水，傷心又無助的望著

四周，可憐得要命。

丙吉走過去，一把抱起了病已，哄著他：『乖乖，不要哭，不要哭。』

說也奇怪，這小嬰兒竟然破涕爲笑，機伶伶的望著丙吉，也不怕生。

丙吉摸摸病已的嫩臉孔笑說：『這個娃娃長得好可愛，你們看看，眼睛亮啊。』說完，又長嘆一聲：『眞可憐，沒有爸爸，沒有媽媽，又關在牢裡，怎麼活下去？』仁慈的丙吉，命令兩個女犯，一個姓趙，一個姓胡，輪流餵病已奶，他自己每天還親自去察看一下。如此，病已這條小命才保住了。

後元二年，漢武帝在五柞宮養病，聽術士說，長安的監牢裡有天子氣，非常危險。古代皇帝最害怕有人篡位，因此，武帝下了一道命令，把長安監牢裡的犯人，不論年紀大小，一律處死，以絕後患。

使者奉了命令來到監牢，丙吉不讓使者進去，對他說：『怎麼可以濫殺無辜呢？何況牢裡還關有皇帝的曾孫。』使者跑去告訴漢武帝，武帝說：『這眞是天命了。』接著下了一道赦免的命令，所有獄中的罪犯，一律免死。

病已漸漸長大了，他的身子弱，時常鬧病，每次都是丙吉請醫生診治，才沒有事。丙吉覺得，一個小孩子在牢裡長大，實在不適宜。

在病已八歲的時候，丙吉把他送到他的外祖母史貞君處撫養。史貞君年紀雖然大了些，但是看到外孫，又憐惜又愛寵，就小心翼翼撫養他長大。

漢武帝臨終時，想起還有這麼一個曾孫，遺命交給朝廷收養，病已又回到了京師，由掖庭令張賀照顧。

誰也沒想到當年在監牢裡嗷嗷待哺的孤兒，有朝一日竟然當上了皇帝，這不能不歸功於丙吉當年的救命之恩。但是丙吉爲人深沉敦厚，從來不提這件事，病已當時年幼，也不記得丙吉，只對張賀有印象。

這時，有個叫則的女人，曾在宮裡當女傭，後來嫁給一個老百姓，上書給宣帝，說自己有抱養宣帝的功勞，並且說御史大夫丙吉知道得很詳細。掖庭令帶著則與丙吉當面對質。丙吉說：『不錯，我還記得你，你是抱過皇帝，不過當時你粗心大意，笨手笨腳，常挨我的責罵，怎麼能算有功呢？眞正有功的，是餵奶給皇帝的渭城胡組、淮陽趙徵卿。』

宣帝這才知道丙吉是大恩人，以及行善不欲人知的德行，拔舉他當丞相，並且賜錢給姓胡的及姓趙的兩個女子的後代。

由於宣帝自幼生長在民間，身世坎坷，深深了解百姓的疾苦。即位以後，信賞必罰，增加國家力量。尤其重視地方吏治，地方官吏政風良好的，不輕易更換。國家太平，人民幸福，是漢朝的黃金時代。

閱讀心得

【第94篇】

許皇后遇害。

自從宣佈病已爲皇帝以後，霍光的太太霍顯一心一意想把女兒成君納入宮中，做一個現成的皇后。在霍顯看來，霍家財大勢大，連漢宣帝也是霍光一手扶上帝位的，誰還比成君更夠資格當皇后？何況成君長得楚楚動人，人見人誇。

偏偏天不從人願，漢宣帝竟然立他在做平民時就結婚的妻子許平君爲皇后。平君是個織染工的女兒，曾和別人訂過親，沒想到對方病死了，改嫁給宣帝。而她的父親還犯過罪，被判了刑。霍顯認爲，這樣的一個女子，實在不配當皇后。因此非常失望，成天長吁短嘆，滿懷不平。

漢宣帝本始三年的春天，許皇后懷孕了，眼看著就要分娩，忽然身體不舒服，吃不下飯，也睡不好覺。

漢宣帝非常著急，找了許多御醫會診，並且宣召女醫生入宮，以便日夜在旁照顧。

其中，有一個掖庭户衛淳于賞的妻子衍，略通一些醫道，被徵召入宮。衍常去霍家走動，和霍顯的私交不錯。

淳于賞曾對衍說：『你有便就去求求霍顯，請她幫忙在霍光面前說一說，讓我換一個安池監做，那可比現在的掖庭户衛要強得太多。』

衍趁著要入宮伺候許皇后之前，把丈夫的請求轉告了霍顯。霍顯一聽，眉毛一挑，努努嘴，左右都知趣的離開了。

『來！』霍顯親熱的拉著衍的手，走到了一個祕密的小房間，說：『坐下，我們慢慢兒談。你丈夫的事情，絕沒有問題，你放心好了。不過，我也有一件事想麻煩你，不知道你肯不肯？』

衍沒有料到這麼容易便辦妥了丈夫交代的事，正想著回去以後，一家人不曉得有多歡喜，感激的笑道：『夫人的命令，哪兒有不肯的呢？』

『那就好！』霍顯滿意的點點頭正色道：『霍光大將軍最疼四女兒成君，希望她榮華富貴。』

衍心想，每一個做父母的，都希望兒女過得好，這是人之常情，但和的意思。』

自己有什麼關係呢？衍狐疑的望著霍顯，不好意思的笑笑：『我不懂夫人

霍顯附在衍的耳旁悄悄的說：『女人生產很危險，九死一生，現在皇后要生產了，你正好可乘機把她毒死。她一死，成君便有希望了。到時候，我會好好報答你的。』

衍一聽，呆若木雞，臉色死白，楞了好一會兒以後，才雙手亂搖道：『藥是醫生配好的，吃藥之前，還要先經別人品嘗，我恐怕幫不上忙。』

『哼，只要你肯，怎麼會沒有辦法？現在霍將軍掌管天下，誰敢多言，除非是你不願意幫忙？』說著，霍顯塞了一包毒藥在衍的手裡。

不多時，許皇后順利生下一個女孩子，只是產後身體虛弱，需要調養，

御醫配了一服藥，衍乘機把毒藥摻進去。許皇后吞下後氣喘如牛，轉身問衍：『我頭好疼，好疼！快要裂了，莫非藥裡有毒？』衍答：『怎麼會呢？』問御醫，御醫也不知什麼原因。只見許皇后額上直冒冷汗，兩眼一翻，一命歸天了。幸好，她在此前已生下一個兒子奭，就是後來的漢元帝。

【第95篇】

霍顯母女狼狽爲奸。

漢宣帝聽說許皇后死了，大爲震怒，下令徹查。

剛做過虧心事的淳于賞的妻子衍一進家門，就被捕吏逮個正著，關進了大牢。眼看著要供出背後的陰謀者。

霍顯接到消息，嚇得花容失色，手心直冒冷汗，硬著頭皮把事情的經過告訴了霍光。

『什麼，竟然是你派人幹的？』霍光一聽又氣又怒，狠狠的把霍顯臭罵了一番。為了保全身家性命，霍光跑去找漢宣帝。

『陛下，許皇后崩逝，一定是命中注定的，如果一定要把過失加在醫生頭上，未免有傷皇帝的仁慈，誰有這個膽子毒害皇后呢？』

漢宣帝認為霍光分析得有理，下令將醫生們一律釋放，淳于賞的妻子衍被放出來以後，以洩漏此一祕密為要挾，不斷的勒索霍顯：蓋房子，僱傭人，買田產，霍顯也只有依著她。

許皇后過世後，霍顯立刻進行為女兒成君拉攏的事，宣帝也答應了，封她為霍皇后，小兩口非常恩愛，霍顯總算如願以償。

宣帝地節二年，此時霍光已年老病死。宣帝以為儲君未立，有礙國本，下令立許皇后所生的兒子奭為太子。

潑辣的霍顯爲此氣得吐血，滴水不進，她扠著腰罵道：『呸！這個小孩是皇上在沒有當皇帝以前在民間生的，怎麼可以當皇帝？而且他當了皇帝，那以後我女兒生的兒子豈不只能封王了嗎！天下哪有比這個更不公平的事？我費盡心機才幫忙搶到皇后的位置啊，天啊！』

於是，殘忍的霍顯又重施下毒的伎倆，她塞了一包毒藥給霍皇后，悄悄的說：『找個機會把太子幹掉，知道嗎？』

從此，霍皇后對太子爽疼愛得不得了，不是餵他吃飯，便是命令廚房做小點心，準備把毒藥摻在裡頭，拔除自個兒的眼中釘。

怪的是漢宣帝似乎早有預感，他派了一個保母跟在小太子的身後，寸步不離。太子喝的每一滴水，吃的每一口飯，都要先由保母嘗過以後，太子才吃。霍皇后沒有法子下手，氣得牙齒吱吱咯咯作響，恨不得下個命令把保母殺了。

漢宣帝冷眼旁觀，發現霍皇后雖然表面上極力籠絡太子。其實呢，只要宣帝一走，立刻換了一副嫌惡的臉色。他心中疑雲大起，開始回憶許皇后去世時的細節，如今想來，不無可疑之處……。

經過漢宣帝的仔細調查，愈來愈發現霍顯嫌疑重大，難脫關係。於是，宣帝漸漸疏遠霍家的人，當時霍光的兒子霍禹，霍光的姪孫霍山、霍雲都在朝廷擔任要職，他們也感到宣帝對他們開始不信任。

不久，宣帝把霍家的子弟們逐漸調離中央去做地方官，霍顯和霍禹、霍山、霍雲見霍家的權勢日漸沒落，常常相對哭泣。

有一天，霍顯等人又聚在一起，霍山說：『最近朝廷上許多人都在指摘大將軍（指霍光）的過失，批評我們霍家，皇上顯然漸漸相信他們的話，更可怕的是近來民間傳說我們霍家的人毒殺許皇后，哪有這種事？眞是胡說八道，豈有此理。』

聽了霍山的話，霍顯臉色慘白，知道事態嚴重，便把自己如何主使女醫毒殺的事全部說了出來。霍禹、霍山、霍雲聽到霍顯的自白，一個個大驚失色。

『竟有這樣的事，爲何不早告訴我們？』霍禹說：『這是大事，如果被揭發出來，那我們霍家就完蛋了，該怎麼辦？』

大家商量的結果，準備謀反。

這時，霍禹、霍山家裏常鬧鬼怪，霍家的人都很憂慮。霍山設計太后設宴邀丞相與大臣入宮，乘機埋伏軍隊殺掉丞相與重要大臣，並且廢去皇帝，立霍禹爲皇帝。

霍家的計畫被家奴聽到，立刻告密，宣帝下詔逮捕霍家的人，霍顯、霍禹被處死，霍山、霍雲自殺，霍家的親戚朋友受到牽連的多達一千多人，有些被殺、有些坐監牢、有些被免官。霍皇后也被廢，打入冷宮，十年以後，霍皇后在冷宮中自殺身亡。

閱讀心得

【第96篇】

正史中的王昭君。

『王昭君……悶坐在雕鞍……思憶漢皇……』一聽到這首哀怨動人的歌曲，我們眼前立刻浮起了王昭君抱著琵琶邊唱邊哭的情景。但是，事實上王昭君的故事和一般傳聞的並不完全相同。吳姐姐要告訴大家王昭君眞正的故事：

漢宣帝在位二十五年去世，由太子奭即位，是爲漢元帝，國勢逐漸衰弱。像任何一個朝代一樣，中國力量小的時候，四夷外族漸漸就不服，蠢蠢欲動。

元帝竟寧元年，匈奴王呼韓邪自請入朝，要求做漢朝的女婿。元帝當然不敢不答應。

和親政策創於西漢初年，劉敬向漢高祖建議，以皇帝的親生女兒嫁給匈奴單于，並備有豐厚的嫁妝，使匈奴單于在『名』分上是皇帝的女婿，又有嫁妝之『利』可得。在名利雙重誘惑之下，不致與漢朝敵對。不過，漢高祖並沒有把眞正的公主嫁給單于，以後成爲一種慣例，將宗室女子嫁給單于，求取短暫的和平。

在漢武帝時代，他東征西討，揚威異域，沒有所謂的和親政策。到了漢元帝，他是一個比較差勁無能的君主，爲了討好呼韓邪單于，準備找一

個後宮女子嫁過去。

主意已定，漢元帝便吩咐：『來啊，把宮女圖給我取來。』拿來以後，他隨意翻了一下，提起御筆點選了一人，然後揀選吉日，採辦嫁妝。

等到佳期已到，宮女前來辭行，漢元帝不看還好，一看之下，發現竟是一個絕代美人，削肩細腰，粉頰緋紅，體態身材無不動人，尤其是雙眉微微緊蹙，眼中似有無限哀怨，只見她輕輕拜倒，嬌滴滴的說道：『臣女王嬙見駕。』

王嬙字昭君，王昭君這麼一呼喚，把漢元帝的魂都勾住了！他停了好一會兒，倒抽了一口氣才結結巴巴的問：『你，你什麼時候進宮的？』一問之下，才知道原來王昭君已進宮好幾年了。『奇怪，宮中有這麼一個美人兒，我竟然不知道，白白便宜了胡人，哼！』

漢元帝趕忙把宮女圖找來一一核對，只見圖上的王昭君是草草描成，毫無生氣，看來是個呆頭呆腦的笨女人。再把以前選中的宮女的圖畫打開來看，倒是花容月貌，比本人要強上三分。漢元帝大發雷霆，在朝廷上咆哮：『這到底是怎麼一回事？』說著，把宮女圖狠狠摔在地上。

原來，這是畫工毛延壽搞的鬼，他是歷史上極有名的畫家，善於寫生，只是爲人卑鄙，看準了每個宮女都巴望能得到皇上的寵幸。因此，只要是送了紅包的，毛延壽從畫筆上添加幾分風韻，醜女也能變成了美人兒。

至於王昭君，她知道自個兒長得美，又生性奇傲，不屑去賄賂毛延壽，因此一直被冷落在後宮。

漢元帝自從見過王昭君以後，日夜難安，連做夢也都是王昭君的俏模樣。王昭君也看得出皇帝對她有情，但是勢已至此，又能如何呢？

於是，王昭君滿心不願意的上路了。她走的時候，其實並沒有懷抱琵琶；抱琵琶在馬背上唱歌的，是王昭君之前的烏孫公主。這一段故事，只是後人憐惜她而加上去的。

不過，據說王昭君在到匈奴的路上作了一首怨歌，這首歌流傳至今，內容描述途中景色和思念父母的心情，相當淒涼，但不是我們今天熟悉的『王昭君』這首流行歌曲。

匈奴呼韓邪單于迎得美人歸，欣喜欲狂，稱王昭君爲寧胡閼氏，對昭君十分寵愛。由於愛昭君，呼韓邪單于對漢朝特別恭順，上書給元帝表示願意爲中國看守北方疆土。從此，匈奴成爲中國北方的附庸。

王昭君到了匈奴以後，也並沒有因爲思念漢皇，不從胡禮，服毒自盡。這都是後人憑空臆造的。根據正史記載：王昭君生了一個兒子，叫伊屠智牙師。呼韓邪單于死後，她被呼韓邪單于的大兒子（不是王昭君所生）強佔，生下兩個女兒須卜居次、當于居次。在匈奴，做兒子的在父親死後，娶後母爲妻是很平常的事，叫做『烝報』，已成爲一種習慣。

王昭君一生坎坷，老死塞外，成爲和親政策之下的犧牲品，而和親政策只是一劑短暫的止痛劑，沒有實質上的效果。不論古今中外，國家弱小，注定了受外人欺負。

閱讀心得

【第97篇】

趙飛燕與溫柔鄉。

從漢元帝開始，漢朝的國運一天不如一天，元帝懦弱無能，沒有魄力，因此大權旁落，朝廷之中全是宦官、小人用事。他在位十六年去世，由太子劉驁即位，是爲漢成帝。

成帝十九歲登上帝位，他是一個糟糕的新君。翻開中國的歷史，我們可以發現，創業帝王都是奮發有爲，勵精圖治，而愈到朝代末期，愈多是昏庸的君王。這是因爲：一方面後代子孫未必繼承上一代的聰明才智；另一方面，自小生長在後宮，養尊處優，難以了解民間疾苦，成天吃喝玩樂，不好好讀書，也沒有遠大的理想，國勢就衰弱了。同時，後宮中總難免有些不務正業的王公貴族引誘著皇帝去做壞事。漢成帝喜愛玩樂，禁不起慫恿，時常偷偷換上輕衣小帽，騎著一匹快馬出去找樂子：鬥雞、走狗，當然也不免找漂亮的女子。

有一天，他到了陽阿公主家，發現了一個女郎，身材纖瘦，弱不勝衣，跳起舞來，裙帶飄揚，好像要乘風飛去，彷彿凌波仙子下凡來。

漢成帝看呆了，一問之下，知此女名叫宜主，由於身輕如燕，體態輕盈，當時的人都稱她爲飛燕。後人有一句成語『環肥燕瘦』，形容美女體態不一，各有千秋。『環肥』指的是唐明皇（玄宗）的寵妃楊貴妃（玉環），

她是個胖美人；『燕瘦』就是指的趙飛燕。

趙飛燕有一個妹妹趙合德，也是個絕代美人，很得漢成帝的歡喜，還封她一個號——溫柔鄉。漢成帝曾經嘆息道：『我願意終老此鄉，何必去學什麼漢武帝？』

爲了討好美人，成帝不惜花費鉅金裝修宮殿，他以黃金爲檻，白玉爲階，牆壁的橫木之中，嵌入藍田壁玉，再鑲上明珠翡翠，此外，一切佈置都玲瓏巧妙，光怪陸離，還有奢麗的百寶床、九龍帳、象牙簟、綠熊席，全都是世間罕有的珍奇。

漢成帝自從得到這對姊妹花以後，事事聽她們擺佈。趙氏姊妹品德不好，貪婪奢侈，弄得怨聲載道，漢成帝倒很快樂的沉醉在溫柔鄉之中，封趙飛燕爲皇后，趙合德爲昭儀。

光祿大夫劉向看得憂心忡忡，搜集古代詩書中所記載的賢妃貞女寫成列女傳，獻給漢成帝，希望成帝輕色重德。成帝看了，連連點點頭稱『寫得好』，但是看完以後，順手一扔，仍舊過著驕奢淫逸的放蕩生活。

由於漢成帝不問政事，因此，國家大權都落到母親王政君娘家的人手裡。他把政事一切託給舅舅王鳳，更在一天之內連著把五個舅舅——王譚、王商、王立、王根、王逢時，一股腦兒統統封爲侯爵，人稱爲『王氏五侯』。以後王莽能夠篡漢，實在是成帝一手造成的後果。

在漢成帝在位的二十六年之中，黃河氾濫，盜賊四起，朝廷之中反對王氏當權的一概被陷害，漢成帝卻始終沉醉在奢靡的、腐化的溫柔鄉裡。

以後，漢成帝去世，因爲沒有兒子繼承，迎立姪兒劉欣繼位，是爲漢哀帝。

閱讀心得

【第98篇】

王莽的故事。

在漢成帝時代，政權逐漸地落入成帝的母親——王政君娘家的人手裏。

成帝的舅父王鳳做到大司馬大將軍，成爲朝廷中最有權力的人物。王鳳有兄弟八個人，河平二年，成帝在同一天內封王鳳的弟弟王譚爲平阿侯、王商爲成都侯、王立爲紅陽侯、王根爲曲陽侯、王逢時爲高平侯，人稱一日五侯，可見王家的權勢眞是顯赫極了。

由於王家的財大勢大，因此，王姓子弟個個衣著光鮮照人，出手大方，常常彼此競爭誰最夠排場，最花得起錢。

在奢侈豪華的王姓子姪之中，只有一個人最爲儉樸，他便是王莽，王政君哥哥王曼的兒子。

王莽的父親很早就去世了，他侍奉母親及守寡的嫂嫂非常孝順，對待叔叔、伯伯、親戚朋友禮貌周到，勤儉而好學，很得鄉里的稱讚。

由於王莽的父親去世很早，所以王莽沒有能封侯。對於這件事，王政君太后及當時輔政大臣王鳳（王莽的伯父）都非常難過，一直覺得對不起王莽。

剛好這個時候，王鳳生了一場大病，王莽日夜守候病榻旁，不眠不休，

親嘗湯藥，一連幾個月下來，王莽形容憔悴，滿臉鬍子，蓬首垢面，看來比親生兒子還要孝順，還要體貼。王鳳感動極了，在臨終之前，哽咽的叮囑王太后及漢成帝：『千萬要照顧王莽，他太好了！』

在王鳳的大力推荐，以及許多讀書人共同讚揚之下，王莽被封爲新都侯，不久，官拜騎將尉，緊接著升爲光祿大夫，官位節節升高，繼而成爲輔政。地位愈高，他表現得愈謙虛恭謹，而且經常捐錢、獻田，周濟貧民，博得朝廷內外一致的讚美。

有一次，王莽的母親病了，公卿大夫們各派自己的夫人前去慰問，這些官太太平日穿著很講究，彼此爭奇鬥妍，她們到了王莽家，王莽的妻子出來接待客人，竟然衣不著地，破破爛爛。要知道，當時一般女子都是衣裙長得可以曳地的，難怪她們都誤以為王莽太太是王家的一個女傭呀。

同時，王莽家中待客的茶點，只有寒酸一兩色，似乎也和王莽的身分不太配合。所以，這些夫人們回去以後，當作一件大新聞似的到處傳播，都說大司馬家裡節儉極了。

不久，漢成帝去世，哀帝即位。哀帝是個昏庸的君主，他用母親（丁氏）、祖母（傅氏）的親戚主政，王莽和傅家的人有過衝突，所以辭職回到了鄉里。

漢哀帝眞是悲哀，在位僅僅六年便一命歸天。這時候王政君已當了太皇太后，她又把王莽召回宮。

王莽所作所為眞像個君子，王政君對他非常欣賞，事事委託於他，王莽復職後第一件大事，就是迎立漢平帝爲帝王。爲什麼挑中漢平帝呢？因爲他才九歲，不能親政，國家內外大權，都由王莽一手包攬。

王莽爲了鞏固大權，演了許多把戲，他靠著太皇太后王政君的幫忙（王政君是王莽的姑母，漢元帝的皇后），官爵步步高升，最後，被封爲『安漢公』。王莽的許多舉動，讓人們覺得他像是一個聖人。

王莽平日生活節儉，他常把自己的薪俸和財產拿去救濟窮人，窮人們簡直把王莽看成是大慈善家。

王莽爲了拉攏讀書人，特別注重提倡學校教育，京師裏的太學辦得很好，讓全國的士人都覺得王莽是他們的導師。

漢代是一個迷信的時代，人們十分相信鬼神和符瑞，所謂符瑞就是平時很少見到的事物，而這事物被認為是代表吉祥。王莽掌權之時，出現了大量的符瑞，人們相信那是王莽的恩德感動天地。於是上自王公大臣，下至販夫走卒，紛紛上書給皇帝，歌頌王莽的功德。有一年，朝廷要賜田給王莽，王莽不肯接受，就有四十八萬七千五百七十二人上書給政府，請求政府要賞給王莽更多的田地。

平帝十二歲時，有人建議可以為皇帝立皇后了。王莽想維持自己的權位，在大臣們的安排之下，把自己的女兒嫁給平帝。

皇帝結婚是一件大事，朝廷送了大量的聘禮給王莽，王莽退回了大部分，只收了五分之一，而且把收下的聘禮轉送給貧困的人，這更讓人們感覺到王莽的高超人格。

閱讀心得

【第99篇】王莽的改革和失敗。

平帝漸漸長大了，對王莽的作風很不滿意，也逐漸露出『不想再當傀儡』的態度，王莽也感覺到了，於是『怒從心上起，惡向膽邊生』……。在冬季臘月裡，王莽趁著一次宴會上酒的時候，偷偷把毒藥在酒中，獻給平帝。平帝一喝下去，立刻肚子疼得像火燒一般！他大聲的喊叫：『王莽要殺我了！』

王莽立刻用別的話岔開，而且故意講得很大聲，好讓別人聽不到平帝的哀嚎。不久，可憐的平帝，嚥下了最後的一口氣。

毒死平帝以後，王莽發現，九歲的皇帝還是太大，以後該找一個更小的。他千挑萬選，居然選了一個兩歲大的劉嬰。他還裝腔作勢的抱著兩歲大的孺子嬰舉行郊祭，祈禱國家太平。

兩歲的小皇帝當然不能掌理朝政，於是文武大臣和百姓們又紛紛上書，請求王莽代理皇帝。這時，在陝西武功縣發現了一件符瑞——在一口井中吊出了一塊白色的石頭，石頭上有幾個紅色的字——『告安漢公莽爲皇帝』，當然，這塊石頭很快送到長安。

王太皇太后並不相信這塊白石是符瑞，她想到那是有人刻的。但在當時強大的民意要求之下，眞是左右爲難。

太保王舜對王太皇太后說：『事已如此，無可奈何，你要擋也擋不住。幸好王莽沒有太大的野心，他只是要代理皇帝，來加重權勢而已。』王太皇太后不得已，只好下詔書任命王莽代理皇帝。王莽在祭祀天地宗廟時自稱『假皇帝』，『假』就是代理之意，臣民稱王莽爲『攝皇帝』，『攝』也就是代理的意思。

不久，王莽利用政治權力與民意，強迫小皇帝讓位給自己，王莽還表示謙讓，小皇帝則一再歌頌王莽的功德，一定要讓位。最後，王莽只好接受小皇帝的禪讓，登基成了眞正的皇帝，改國號爲『新』。

王莽接受小皇帝的讓位，在形式上好像是堯舜的禪讓，但是，實際上，小皇帝不過是四、五歲的幼童，那裏懂得『讓賢』，這明明是王莽在搶皇位，但是，王莽不肯背上『搶奪』的惡名，才自導自演地演了一齣『禪讓』的戲。

王莽即位做皇帝以後，便推行一連串的改革，許多官名改了，許多地名改了，更重要的是將土地收歸國有，稱為「王田」，不准私人買賣，已有的奴婢制度仍然保存，稱為「私屬」，但是，不准買賣，把漢朝通行的五銖錢改為新貨幣，這新貨幣定為錢、金、銀、龜、貝、布六類，每類貨幣又分為幾個等級。

例如，錢這類貨幣也稱泉，又可分為六種，小泉、么泉、幼泉、中泉、壯泉、大泉。這六種泉以小泉為基本單位，假如小泉的價值是一，么泉便是十，幼泉是二十，中泉是三十，壯泉是四十，大泉是五十。貝這類貨幣也分為五種，按照貝的長短大小而有不同的價值，也可以與泉、布互換。

王莽的改革，最後是失敗的。最主要的原因是不合時宜。王莽的改革用意也許是很好的，可是由於不合時宜，人們不但不感激他，反而會怨恨他。

譬如王莽規定土地全部國有，不得私自買賣，用意是要防止有錢人兼併土地，但是許多有土地的人有時家裏有急用，想賣掉一塊土地來應急。結果，王莽規定不許賣，眞不知道怎麼辦。又有些人辛勤工作賺到一些錢，想買塊土地作爲家產，却買不到，當然也會抱怨。

又譬如王莽規定不准買賣奴婢，這是尊重人權，但是王莽沒有設置救濟機構，也沒有給予人民職業訓練，如有一個人窮得走投無路，在古代社會最後一條路就是賣身爲奴，還可以活下去。但是，王莽規定不准買賣奴婢，這些窮人既得不到政府救濟，又無謀生的一技之長，連賣身爲奴的影子都斷了，要他們怎麼活下去呢？他們非但不會感激王莽，反而會咒罵王莽絕了他們的生路。

再說王莽的貨幣改革更是一大失敗，貨幣愈簡單明瞭愈好。但是，王莽的新貨幣有五類，每一類又有好幾種，人們除非拿著各類貨幣換算對照表，否則，一定弄不清，這樣的貨幣怎能使用，所以引起怨聲載道。

王莽做了幾年皇帝，首先是匈奴不服，時常出兵騷擾邊境。原來，王莽即位以後，遣使到匈奴和四夷去收回漢朝賜給那些四夷的印綬，更換新印，匈奴的文化水準較高，匈奴單于發現漢朝原先給他們印刻的文字是『匈奴單于璽』，而王莽發給的新印所刻的文字是『新匈奴單于印』。『璽』與『印』含意不同，璽是天子諸侯用的，印是文武百官所用的，匈奴單于認爲王莽無異把他降了級，心中大爲憤怒，便起而作亂，其他外族也就跟著作亂，於是王莽自己招來了外患。

閱讀心得

【第100篇】更始皇帝劉玄。

王莽滅掉西漢，建立新朝以後，由於好大喜功，加上不擇手段的變法改制，使得天災人禍相繼而來。在地皇二年，發生大規模的蝗蟲災害，王莽派了使者前往災區，教老百姓把草根、樹皮剝一剝煮來吃，名叫『酪』。老百姓吃了這種難吃得要命的『酪』以後，非但不能充飢，反而一個個都生了病，加上兵役的殘酷，刑法的迫害，逼得飢民們只有一個辦法——造反。

當時，有兩股最大的勢力：綠林與赤眉。在綠林山上（今湖北當陽縣）的強盜，人們稱之爲綠林賊。我們通常稱土匪爲綠林好漢，正是出自這個典故。

另外一股叫赤眉，他們爲了與官兵區別，把自己的眉毛染得紅紅的，看起來像鬼一樣，相當怕人。

同時在舂陵（今湖北棗陽縣）有劉縯、劉秀兄弟也揭竿起義。劉秀本是一個讀書人，出身於太學生，當他哥哥劉縯準備起事以後，他也換上了軍裝，戴上了大冠，左右街坊的人看了都很驚異：『咦，他是拘謹敦厚的人，怎麼也這般裝束？』於是人們領悟到，如果再不起來革命，只有死路一條，紛紛加入了軍營（劉秀正是日後的東漢光武帝）。

勢單力薄難以成事，所以劉氏兄弟與綠林聯合在一塊兒共同起義。起義以後，一連打了好幾場大勝仗，其中就以劉縯的武功最盛。

這十幾萬人的烏合之衆，軍隊系統複雜，羣龍無首，亂成一團，紀律很壞，於是大家都認爲，非要選舉一位領袖不可，而且是要姓劉的。因爲當時經過王莽的暴政，普天之下人心思漢。而漢朝姓劉。但又不能選一個太能幹的，最好是個庸庸碌碌的笨蛋。

這是爲什麼呢？因爲王莽失去了民心，就像丟掉了一隻鹿在原野上奔竄，每個英雄好漢都想奪得這隻鹿，登上皇帝的寶座，這便是『逐鹿中原』。可是，在天下大勢未定，『鹿死誰手』還未知，人人有機會掌握政權之時，倘若推選了一個最厲害的，那旁人豈不沒有出頭的機會了嗎？所以劉縯不可能被推爲首領。

選來選去的結果，找到一個膽子很小的劉玄當皇帝，改元更始，稱爲更始帝。當他坐上了皇帝位，面對著羣臣，嚇得滿頭大汗，只會舉起手來『啊，啊啊！』一句話都説不出口。

劉縯、劉秀兄弟的威名一天比一天盛，綠林諸將心懷猜忌，向劉玄進讒言道：『此二人一日不除，必爲後患！』劉玄本是個不識好歹的人，聽他們一説也就心動了。

一天，劉玄看到劉縯身上掛著一把佩劍，故意的説：『咦，這劍看來十分奇特，借我仔細瞧瞧。』

劉縯是一個性情豪爽的人，立刻拔劍出鞘交給劉玄，劉玄拿著劍在手中玩了半天。按照預謀，劉玄應該一劍刺入劉縯胸膛的，但是劉玄怕得發抖，又把劍交還了劉縯。

左右綠林諸將不肯就此罷休，又設計了一個圈套。

那時，劉縯手下有個大將劉稷，勇冠三軍，當劉玄稱帝時，他曾憤怒的說：『哼，這次起兵討莽賊，全是劉縯、劉秀兄弟的功勞，更始算什麼，憑什麼可以稱王？』劉玄聽說了，特別授劉稷爲抗威將軍，劉稷不肯受命，惱怒了劉玄，派了幾千人把劉稷捉來，不待他開口便喝道：『推出去斬了！』

劉縯爲了保全愛將，便挺身力爭，劉玄又沒有了主意，低著頭跌坐在帝位上。

綠林諸將走到劉玄附近，左牽右扯，暗中示意，逼著劉玄說出一個字『拿下！』然後十餘名武士綁住了劉縯，把他和劉稷一同斬首。

此時，劉秀正在昆陽大破莽軍，他勝利而歸後，竟然沒有去找劉玄理論為何殺劉縯。官員們去迎弔喪，劉秀也沒有表示對劉玄的不滿，只淡淡的說：『原是我哥哥的不對。』甚且不為劉縯服喪，談笑風生，一如往常。有人問起昆陽戰事，他也不自誇，只謙虛的說：『這都是將士們大家通力合作的結果。』

劉玄原本以為劉秀歸來後，一定會怒氣沖天跑來算帳，沒想到竟這般的不動聲色，心裡覺得怪不好意思的，特拜劉秀為破虜大將軍，封武信侯。

其實呢，劉秀每天晚上哭得枕頭溼了一大片，但他知道輕舉妄動只會壞事，含著眼淚忍了下來，以後他能創建東漢，都是靠著『忍』的工夫。

閱讀心得

【第101篇】

坐失皇位的劉玄與劉盆子。

王莽末年天下大亂，各地紛紛起來革命，經過昆陽之戰，劉秀（日後的東漢光武帝）把王莽的主力擊潰，使得劉秀等擁立的更始帝能一路勢如破竹，攻進了長安。王莽被漢兵殺死，劉玄登上帝位，海內豪傑都響應來歸。

劉玄本來是一個儒弱無能的人，一旦即帝位，住進了長樂宮，上朝的時候，文武百官整整齊齊排列在下，他一看：『哇，這麼多人！』嚇得低著頭說不出話。

後來幾個將領跟著進宮，劉玄鼓足了勇氣，迸出的第一句話是：『大家好，你們搶了多少東西啊？』到底是土匪出身。左右侍官很多都是老資格的官吏，聽得目瞪口呆，彼此面面相覷，驚奇萬分。

對於這一批強盜出身的將領，劉玄沒法子駕馭，朝廷中的新貴，大半是不學無術的市井流氓，許多廚子屠夫也都穿起錦服繡衣，大搖大擺。長安城中的父老，看得又好氣又好笑，就編了一首歌謠諷刺他們：『竈下養，中郎將；爛羊胃，騎都尉；爛羊頭，關內侯。』形容這些不像樣的新官兒。

更始皇帝劉玄日日夜夜都在後宮與宮女們鬼混，喝得醉醺醺東倒西歪的，臣子們有事要稟報皇帝，更始派了一個人坐在帷後裝成自己下聖旨，

臣子們聽出這不是更始的聲音，也拿他沒辦法。

因爲更始的無能，這個新起的政權又立刻被推翻了，取而代之的是赤眉——一羣把眉毛塗得紅紅的土匪。赤眉是由琅琊人樊崇在莒地起兵，擁立了劉盆子爲帝。劉盆子是何許人也，這兒也有一段有趣的故事。

劉盆子本來是一個放牛的牧童，當赤眉大軍過式縣時，把劉盆子和他的兩個哥哥劉恭、劉茂捉進了軍營中，劉恭以後投奔了更始，劉茂和劉盆子則當了牛吏，專門管牧牛的事。

因爲當時人心思漢，所有起義的都要設法和漢朝本姓——劉家攀點兒關係，用以號召人心，有人不姓劉，也假冒姓劉。赤眉在軍隊之中逐一檢點的結果，發現只有劉茂、劉盆子以及一個叫劉孝的人和皇帝血緣最近。

於是赤眉弄來一個竹筒，做了幾根籤當符命，按年齡的大小分別去抽，劉盆子年紀最小，才十五歲，輪到最後一個抽，他一抽之下竟然得中，赤眉的將領全體下拜高喊『皇帝！』

劉盆子披頭散髮，光著腳丫子，衣服敞開著，滿身臭汗，一副狼狽相，他看到人人都跪在地上向他朝拜，嚇得要哭。劉茂對他說：『你要好好藏著這個符命。』

『什麼符命，我不要當皇帝！』劉盆子把符命咬爛，丟在地上，一溜煙似的跑了。

跑了也沒有用，這事由不得他；劉盆子只有很痛苦的被赤眉加上了黃袍，當起了皇帝。他始終不習慣，時時換了服裝，偷偷跑去跟牧童玩兒，覺得這樣倒自在些。

後來，赤眉兵攻佔了長安城，打倒了更始，控制了中央政府，這幫土匪個個自以爲有大功，常常在宮殿上爲爭功而起衝突，甚且動刀弄槍鬧個不停。劉盆子坐在皇帝寶座上嚇得魂不附體，晚上連睡覺都要拉著一個小太監壯膽才能入睡，根本就沒有能力處理政事。

此時的劉秀，在河北逐漸建立了自己的力量，他的軍隊紀律嚴正，一舉一動合乎禮節，制服整齊，當時的人看多了赤眉等土匪的模樣，都嘖嘖稱奇道：『沒想到今天我們還能看到漢官威儀。』不久，劉秀進兵長安，劉盆子投降。劉秀是個寬厚的君主，他封劉盆子爲趙王郎中。甚至對有殺兄之仇的劉玄，劉秀也封他爲侯。

劉玄、劉盆子相繼被擁立爲皇帝，但因爲沒有能力，白白喪失了機會。

閱讀心得

【第102篇】

董宣的脖子很硬。

東漢光武皇帝劉秀，討平羣雄，重建了漢朝，是爲東漢。史稱『光武中興』。

光武帝經過了王莽的苛政，加上近二十年的動亂，老百姓亟需舒一口氣。光武帝來自田間，了解民生疾苦，非常愛護人民。他重視地方官吏，也注意法治精神。

光武的姊姊湖陽公主家裡有個奴才，大白天殺了人，然後逃回湖陽公主家裡。

當時的洛陽令董宣到處捉拿兇手都找不到人，心裡很氣憤。而這個奴才自以爲有公主在背後撐腰，膽子非常大，公主出門，他也肆無忌憚跟著去。

碰巧，在路上被董宣看到了，他『嘿』的大喝一聲，率領一批衛士湧上，狠狠的用刀劃來劃去，發出難聽刺耳的聲音，並且嚴厲的指責公主：『怎麼可以窩藏要犯？』

公主被突如其來的舉動嚇呆了，滿臉通紅説不出話來，眼淚一滴滴的流下來，心裡一遍又一遍的説：『哼，看你這個兇狠樣子，待會兒告訴我弟弟去！』

於是，湖陽公主快馬加鞭趕到了漢光武帝處，一把鼻涕一把眼淚的哭訴，因爲她哭得太傷心了，光武帝也聽不清楚怎麼回事，只知道公主受到了董宣的侮辱，便把董宣叫來問話。

問明始末之後，光武帝『哈哈』仰天一笑：『你做得好，賞你三十萬錢獎勵你的執法精神。』

『不過，你用這種態度對公主是不對的，來來來，向公主叩個頭，道個歉，便沒有事了。』說著，便向公主招手。

公主滿懷委屈的坐下，等著董宣叩頭。沒想到，董宣脾氣很硬，怎麼都不肯磕頭。光武只好叫宦官去按他的頭。董宣看到宦官走近了，把頭抬得更高，滿臉不屈服的神情。

『好了，算了！算了！』光武也不想爲難董宣，笑著說：『你眞是個強項令！』項便是脖子。

光武最爲人所稱道的是他表彰氣節，敬重讀書人。他本身原就是個太學生，有鑑於王莽時代阿諛拍馬的不良風氣盛行，特別著重人格的培養。許多在王莽時代不屑爲官，託病辭職的風骨人士，光武都特別予以褒賞。

他在求學時候，有個好朋友名叫嚴光，學問品德都很好，光武非常敬重他。因此，光武在得到天下以後，想請嚴光出來做事。然而，嚴光對做官沒興趣，隱姓埋名，和光武帝大捉迷藏，光武遍訪海內，始終沒有找著嚴光。

『天下無難事，只怕有心人。』光武憑著記憶，命畫工繪成了嚴光的肖像，到處尋訪。

不多時，果然有人奏報，在齊國境內發現有個身披羊裘的男子，常在澤中釣魚，面貌看來與肖像相似。光武大喜過望，立刻派人前往齊國禮聘。

嚴光還是不肯道破身分，他對使者說：『朝廷誤徵，你們弄錯了。』這二、三十名使者，不由分說的把嚴光擁進車中飛馳洛陽。

光武聽說嚴光來了，高興萬分，一大早趕到嚴光住處，而嚴光明明醒來了，故意賴在床上不肯起來。光武走進臥房，拍拍嚴光露出來的肚子說：『老朋友了，不肯幫我治理天下嗎？』嚴光仍閉著眼睛不吭聲。

過了半晌，嚴光才張開眼睛道：『以前，唐堯時代，堯請許由出來做官，許由聽說了，急忙到水邊洗耳朵，怕這話沾染了自己。人各有志，你何苦爲難我呢？』

光武帝拍著手大笑說：『好，好！』晚上，與嚴光共眠，嚴光睡到一半，把脚壓到光武的肚子上，鼾聲如雷，光武也不介意。以後，嚴光始終沒有做官，依舊耕田、釣魚，終老山中。

光武帝重視讀書人的美德，也就流傳千古。不過像嚴光這種隱士，不問世事，自以爲超人一等，充其量只能『獨善其身』。一個有抱負的知識份子，無論做不做官，本應當貢獻所學，造福大眾，發光發熱，『兼善天下』。這才是我們讀書求學的眞正目的！

閱讀心得

【第103篇】

老當益壯的馬援。

中國歷史上有幾句相當有名的成語：『聚米爲山』、『馬革裹屍』、『窮當益堅』、『老當益壯』，都是馬援留下來的名言。馬援是襄助漢光武帝建立中興大業的功臣。

馬援字文淵，他是戰國中期名將趙奢的後代，由於趙奢被封爲馬服君，所以一部分子孫姓馬。雖然他的祖先是西漢世家，但世代清廉，家中並不富有，尤其馬援的父親在他十二歲時去世後，生活更顯得拮据。

少有大志的馬援，曾經想放棄學業去邊疆開墾，他的大哥也答應了，並且對他說：『你是我們馬家最有希望的人，當會大器晚成。』可是不久，馬援的大哥因病而死，馬援爲哥哥服孝而留下來，他對寡嫂非常孝順，很得鄉里的稱讚。

後來王莽當政，馬援到了邊區墾田、畜牧，擁有牛、馬、羊數千頭，有幾百户人家受到他指揮，算是個創業有成的大商人了。但馬援不以此爲滿足，他常常說：『丈夫爲志，窮當益堅，老當益壯。』意思是說：一個男子漢大丈夫，愈窮愈有骨氣，愈老要愈強壯勇敢。他可不願做個守財奴，因此把賺來的錢統統散給兄弟故舊，自己依舊穿羊裘著皮褲，兩袖清風的在田野墾牧。

後來馬援投效光武帝劉秀，協助平定羣雄。此時，羌人作亂，朝中大臣多半主張放棄羌縣以西，免得朝廷爲了遼濶的邊區耗損國力。

馬援卻獨排衆議，認爲不可輕言放棄國土，畏首畏尾的結果，將遭致更大的禍患，因而率領大軍，猛撲羌人，贏得光榮的勝利，被任命爲隴西太守。然後，勸導耕農、興辦水利，羌民得以安居樂業。

有一回，鄰縣的百姓聽説羌人又在作亂，也不管消息眞假，急急忙忙請求馬援關閉城門，發兵平亂，馬援正在與賓客喝酒，接到消息大笑道：『你們回去好好把官舍守住就是了，要是害怕的話，可以躲到床底下去。』果然，地方上平靜如昔。

馬援當了六年太守，回到了京裡官拜虎賁中郎將。他在京裡，歡喜講故事給大家聽，由於他鬚髮清朗，眉目如畫，身長七尺五寸，藹然可觀，口才出色，因此上自皇太子，下至閭里少年，都愛聽馬援講故事，個個聽得聚精會神，津津有味，從故事中學到許多做人做事的道理。馬援還善於兵法，每回論起調兵遣將的道理，漢光武都很佩服，常常說：『伏波論兵，與我意合。』（建武十七年，光武封馬援為伏波將軍。）

此後，馬援南征越南，大獲全勝，回都以後，匈奴正在邊境為患。這位報國心切的英雄，又不顧一切的請求出征，他拍著胸脯說：『男兒當死於邊野，以馬革裹屍還葬耳，何能臥床上在兒女手中？』他始終認為，男子漢大丈夫要死在戰場才光榮，躺在病床上靠兒女服侍算什麼！

馬援最後一次出征，是建武二十四年，他聽說漢軍深入蠻夷很久不得平定，又躍躍欲試，請求光武派他出征。光武看著他，不忍心讓他再去打仗，搖搖頭，正準備說話，馬援已穿戴起甲冑，一躍登上馬鞍，雄赳赳，氣昂昂，顧盼自得，雙目炯炯有神，雖然頭髮已花白，但那威武的氣勢，那威武的精神，使人一看便要敬畏三分。光武也不禁讚道：『好一個矍鑠的老翁！』還是讓他去了。

不服老的馬援又親領大軍去攻五溪蠻人去了。他衝鋒陷陣，戰績輝煌，最後不幸染上疫癘，病死軍中，完成了馬革裹屍的壯志。

由於馬援性情耿直，得罪了小人，所以他自交趾打仗帶回的一車薏米被說成了一車明珠寶貝，而朝廷一般大臣認爲：『好啊，你帶回一車珠寶，竟然也不分給我們一點，太小氣了。』紛紛舉發馬援貪汙，使得光武大怒。

馬援的家人不敢把他迎歸埋葬，許多賓客故人連弔喪都不敢去哩。

馬援一生光明磊落，國家太平時，他墾荒畜牧，厚植國力；國家動亂時，効命沙場，保國衛民。他永遠積極、樂觀、奮鬥、進取，爲國家獻出一切。儘管最後被人誣陷，倘使他地下有知，當也不以爲意。因爲眞正的英雄豪傑，是對自己的良心負責的！

閱讀心得

【第104篇】班超深入虎穴。

班超是中國歷史上了不起的民族英雄。他的父親班彪，哥哥班固，妹妹班昭，都是著名的文學家、史學家，可以說得上是一門四傑。班彪晚年，想效法司馬遷撰寫一部前漢史，可惜不久便去世了。班固繼承父親遺志繼續寫下去，是為《漢書》。

在班固撰寫漢書期間，家裡一貧如洗，班超只好在官署裡補了一名書記的缺，替公家寫文書，維持全家人的生活。

官署裡的同事都是胸無大志的小職員，每天不是東家長便是西家短，以搬弄口舌、挑撥是非爲樂。班超最看不起他們，而這些同事憤恨班超不同流合汙，經常在背後批評班超：『哼！擺什麼臭架子，有什麼了不起？』然後，哄堂大笑。

有一回，班超抄寫一整天，對這『機械式』的工作厭煩不已，摔掉毛筆嘆氣道：『大丈夫應該效法張騫，揚名異域，爲國効命，哪裡能夠長久在筆硯中討生活呢？』旁邊的同事聽到了，馬上交頭接耳，竊竊私語，一面用眼睛斜看著班超，一面吃吃的笑，不懷好意的說：『憑他，也想學張騫？哼，做夢！』

班超實在按捺不住了，推開桌子，大聲的說：『小子安知壯士志哉？』

(你們這羣庸庸碌碌的小人，哪裡能夠了解我的大志呢？）說著，大踏步走了出去。

後來，在永平十六年，班超隨竇固出擊匈奴，竇固見班超有勇有謀，派他為假司馬（古代官名中『假』是代理之意），率三十六名隨從，前往西域，要從匈奴手中奪回這片地帶的控制權。

班超第一站到了鄯善，鄯善王看到大漢使者駕臨，客氣得不得了，給予最優厚的待遇，每天還親自前來請安。

過不了幾天，鄯善王的態度忽然轉變，愛理不理的，班超覺得很奇怪，懷疑是不是匈奴的使者也來了。

於是，班超召來一個鄯善的侍者，劈頭便問：『匈奴的使者來了好久了，怎麼沒有看見人？』那侍者冷不防班超有此一問，嚇住了，眼睛睜得大大的呆在那兒。

『快說！』班超聲色俱厲的大吼，侍者乖乖的一五一十全講出來了。班超怕侍者洩漏消息，先把他關起來，然後趕緊找三十六個隨從共謀大計。

班超說：『鄯善王畏懼匈奴，很可能把我們送給匈奴，這樣我們就只好當豺狼的食品了，怎麼辦？』

大家聽了都異口同聲的說：『現在生死都聽司馬的了。』

『好！不入虎穴，焉得虎子。』班超一咬牙道。這句名言也就流傳千古，表示要想成功，先得要冒險。

當天晚上，北風吹得人毛骨悚然，班超順風點火，趁夜摸營，匈奴兵夢中驚醒，亂成一團。班超首先摸進了一個帳篷，一下就砍掉三個腦袋瓜子。不多時，一百多個匈奴使者全部命歸西天。

鄯善王嚇得連忙伏地磕頭，唯唯聽命。班超順利完成第一次任務。

不久，班超到了于窴（新疆和闐），于窴王雖沒有當面拒絕班超，但是態度很傲慢。

于窴王信奉巫師，一舉一動都聽他的話。巫師害怕班超對他構成威脅，故意假裝神附身上，咿咿啞啞的鬼叫：『你爲何要款待漢朝使者？神要發脾氣了，漢朝使者騎著一匹騧馬很不吉利，把牠牽來宰了祭我，就可以恕你無罪。』

班超絲毫不驚慌，淡淡的說：『這匹淺黑色的駿馬很名貴，要巫師親自來取。』

等巫師一到，班超也不多言，拿起佩刀便把巫師的頭割下來，然後拎著這顆腦袋去見于窴王。

于窴王這時已聽說班超在鄯善的威風，又看到了巫師的腦袋搬了家，只有乖乖稱臣。

以後班超撫疏勒，聯烏孫，破莎車，最後，自葱嶺以東到葱嶺以西，五十多個國家完全內附，更打開了東西交通，條支（敍利亞）、安息（波斯）都遠來朝貢，甚且中國的絲織品都因而傳到大秦（羅馬），西方人稱這條道路爲『絲路』。

從此，西域與中國斷絕了四十一年的外交關係，乃因班超的深入虎穴，又重新建立起來了。

班超雖有赫赫功績，卻遭李邑等小人眼紅，上書皇帝說班超『擁愛妻，抱愛子，在外國享受，不顧朝廷。』英明的漢明帝看了從不生氣，下令讓班超處置李邑。班超只是哈哈一笑，反而派李邑回京城。他說：『我光明磊落，不怕別人講閒話。』

閱讀心得

【第105篇】

外戚・宦官・小皇帝。

班超征服西域以後，大漢聲威盛極一時。但是，在此之後一直到東漢滅亡一百四十七年之中，漢朝的國勢始終非常衰弱。這是什麼原因？讓我們來看一看究竟。

在漢章帝的時候，他立竇氏爲皇后，竇皇后引進她娘家的許多親戚在朝廷當政，由於皇后在背後爲他們撐腰，竇家子弟大造房舍，家中養了好幾百名的食客，僕役奴婢多得不能計算，大量搜括洛陽城中的良田，驕奢跋扈達到了極點，引起一般民衆的不滿。

於是，有人上報告給章帝，章帝看了很生氣，但礙著竇皇后的情面，也不忍心苛責，只是再三交代這些外戚要多加檢點。既然皇帝都不過問，他們就更肆無忌憚，尤其是竇皇后的哥哥竇憲竟騎到公主的頭上去了。

竇憲看上了沁水公主家中的一塊園田，一定要買，公主不敢和竇憲爭執計較，只好忍氣吞聲把田賣了。

章帝曉得了這回事，心裡很不痛快。有一天與竇憲出去的時候，正好路過沁水公主的園田，故意問道：『這大概就是你強迫公主賣出的田地吧？嗯？』章帝提高了聲音又問：『是不是啊？』

竇憲支支吾吾答不出話，章帝氣得把竇憲狠狠大罵一頓：『今天連公

主的地都被你搶過去了，那一般平民就更不用說了。其實國家殺掉你，就像丟掉一隻臭老鼠，沒什麼可惜的，你說是不是？』

竇憲嚇得靈魂出竅，慌慌忙忙匍匐在地上，把頭撞得像搗蒜一般。正在此時，後面來了嬝嬝婷婷的竇皇后，冉冉的走到章帝面前，雙膝一跪，代爲求情。章帝只好又放過了竇憲一馬。

章帝在位十三年去世，和帝即位時才十歲，還是個小孩子。因此，和帝即位初年，由竇太后臨朝，竇憲輔政。後來，竇憲北伐匈奴有功，權威愈來愈大。於是，東漢的外戚用事，從此開始。

由於和帝是個小皇帝，竇憲根本不把他擺在眼裡，總認爲皇帝還小，只要念書、玩耍、吃糖便夠了，國家大事哪有去問小孩子的道理。

和帝看著自己的大權完全落在外戚手裡，心中很不甘心，時常氣得睡不著覺，也吃不下東西，連做夢都在想：『殺掉竇憲，殺掉竇憲！』但是，和帝又沒有人可以商量對策，只有拉著在身邊伺候他的太監鄭衆商量計謀對付。

有一天，和帝利用竇憲自涼州回家的時候，密發聖旨，調動大批守軍，關閉了城門，迅雷不及掩耳的把竇氏親黨捉拿下獄，逼迫竇憲自殺。

太監鄭衆協助政變有功，升爲大長秋（大長秋是宮中宦官的領袖）。從此，宦官也在東漢政治上插上一脚。

和帝在位十七年去世，去世時年紀很輕，只有二十七歲。而即位的殤帝才滿一百天哩。

所以東漢末年的政治很奇怪，總是一個小皇帝即位（在殤帝以後的安帝十三歲，順帝十一歲，沖帝兩歲，質帝八歲，桓帝十六歲，獻帝九歲），而小皇帝即位不能管事，就由母后當政，重用娘家父兄，外戚當權；小皇帝長大以後，不甘心當傀儡，聯合宦官，除掉外戚。

皇帝親政以後，不久便去世了（奇怪，東漢末期的皇帝都很短命）。於是又一個幼主即位，再一次的惡性循環。外戚宦官的鬥爭，成爲一個公式，漢朝也就一蹶不振了。

閱讀心得

歷代・西元對照表

朝　　代	起迄時間
五帝	西元前2698年～西元前2184年
夏	西元前2183年～西元前1752年
商	西元前1751年～西元前1123年
西周	西元前1122年～西元前 771年
春秋戰國(東周)	西元前 770年～西元前 222年
秦	西元前 221年～西元前 207年
西漢	西元前 206年～西元 8年
新	西元 9年～西元 24年
東漢	西元 25年～西元 219年
魏(三國)	西元 220年～西元 264元
晉	西元 265年～西元 419年
南北朝	西元 420年～西元 588年
隋	西元 589年～西元 617年
唐	西元 618年～西元 906年
五代	西元 907年～西元 959年
北宋	西元 960年～西元 1126年
南宋	西元 1127年～西元 1276年
元	西元 1277年～西元 1367年
明	西元 1368年～西元 1643年
清	西元 1644年～西元 1911年
中華民國	西元 1912年

國家圖書館出版品預行編目資料

全新吳姐姐講歷史故事. 4. 西漢－東漢/吳涵碧 著.
--初版.--臺北市；皇冠，1995〔民84〕
面；公分（皇冠叢書；第2470種）
ISBN 978-957-33-1214-7 （平裝）
1. 中國歷史

610.9　　84006872

皇冠叢書第2470種
第四集【西漢－東漢】
全新吳姐姐講歷史故事〔注音本〕

作　　者—吳涵碧
繪　　圖—劉建志
發 行 人—平雲
出版發行—皇冠文化出版有限公司
台北市敦化北路120巷50號
電話◎02-27168888
郵撥帳號◎15261516號
皇冠出版社(香港)有限公司
香港銅鑼灣道180號百樂商業中心
19字樓1903室
電話◎2529-1778　傳真◎2527-0904
印　　務—林佳燕
校　　對—皇冠校對組
著作完成日期—1992年01月01日
香港發行日期—1995年09月25日
初版一刷日期—1995年10月01日
初版二十九刷日期—2021年05月
法律顧問—王惠光律師

讀者服務傳真專線◎02-27150507
電腦編號◎350004
ISBN◎978-957-33-1214-7
Printed in Taiwan
本書定價◎新台幣150元/港幣45元